コロナ後の未来

ユヴァル・ノア・ハラリ
カタリン・カリコ　ポール・ナース
リンダ・グラットン　リチャード・フロリダ
スコット・ギャロウェイ　イアン・ブレマー
大野和基［編］

文春新書
1342

はじめに

前作の『コロナ後の世界』（小社刊）を刊行したのは、２０２０年7月の下旬でした。当時の新型コロナウイルス感染症（以下、ＣＯＶＩＤ-19）に関するデータを振り返ると、日本の感染者は累計で約3万５０００人、死亡者は約１０００人でした（同年7月末）。それから1年半あまり、感染者は約４４７万人、死亡者は約2万２０００人にも及んでいます（２０２２年2月21日現在）。いったんは感染拡大の波が収まっても、新たな変異株が現れると、再び感染が急拡大することの繰り返しです。

安倍晋三首相（当時）が最初に緊急事態宣言を発した２０２０年4月、マスクとトイレットペーパーを求めて、ドラッグストアやスーパーの前に人々が列をなしていました。そしていま、世界各地ではワクチン接種の義務化への反対デモが勃発し、物流が滞《とどこお》る事態まで生じています。カナダとアメリカの国境は、抗議するトラック運転手たちのために封鎖状態になり、フランスでもワクチンパスポートに反対する人々が「自由の隊列」と称して車でパリに押し寄せました。

一方で我が国では、オミクロン株によって感染拡大第6波に襲われましたが、3回目のワクチン接種も思ったように進まず、医療崩壊の一歩手前にまで来ています。

ＣＯＶＩＤ－19によって、外出する際には不織布マスクをつけることが日常となり、私たちの生活様式も一変しました。大人数で集まり飲食すること、夜遅くまで外出することもはばかられるようになりました。

一つひとつは小さなことですが、後から振り返ればこうした事象は人類の文明史に少なからず影響を及ぼしているのではないでしょうか。世界に冠たる知性と言うべき7人に、私たちのこれからを考える手がかりを示していただきたく、もう一度、本書を編むことにいたしました。

文春新書編集部

コロナ後の未来　◎　目次

はじめに　3

第1章　デジタル独裁主義の悪夢を阻むには　ユヴァル・ノア・ハラリ　11

忘れられた1918年のパンデミック／政治的イシューとなったパンデミック／中国的権威主義体制の落とし穴／監視システムの強化／民主主義国家も監視をする／個人データを収集する企業／誰がデータを所有するのか／人類のハッキング／チャイナ・ファースト／日本の現実的な脅威／パンデミックの教訓

第2章　mRNAワクチンが切り拓く可能性　カタリン・カリコ　37

人生の分岐点となった出会い／画期的だったジカ熱のワクチン／これはパンデミックになると直感したCEO／ご褒美はチョコレート菓子／RNAとは何なのか／タンパク質の設計図を運ぶ／ウイルスのトゲを作る／変異株に対応するワクチンの開発／タンパク質で病気を治療する／RNA研究をスタート／夫と2歳の娘と一緒に渡米／「ここに残るか、ハンガリーに帰るか」／研究対象をmRNAに／ついにタンパク質ができた／研究資金がない！／ワイスマン教授との出会い／大学が独占使

用権を売却／家族のサポート

第3章　生命とは何か？　ウイルスとは何か？　ポール・ナース　69

新型コロナウイルスの生存戦略／一つの細胞でウイルスが1000倍に増殖／ワクチンを接種するしかない／自然淘汰で生まれる変異株／mRNAワクチンの利点／科学と民主主義／生物を定義する「3つの基本原理」／ウイルスは生物か、非生物か？／最も独立性が高い生命体とは？／シュレディンガーの指摘／なぜ『生命とは何か』を書いたのか／生命を5段階で理解する／人為淘汰という品種改良／ゲノム編集という人為淘汰／ゲノム編集が容認されるケース／科学は〝暫定的な知識〟

第4章　コロナ後の働き方はハイブリッドワーク　リンダ・グラットン　103

リモートワークはニューノーマルか／これからは在宅勤務＋オフィス勤務／監視しても生産性は上がらない／柔軟な働き方がもたらすメリット／企業側もマインドセットの変革を／人生のステージを再編成する／年齢は可変性のある概念／入社年齢の多様化を／お金と健康の関係／お金と幸福の関係

第5章　未来の都市は「第三の場所」を求める　リチャード・フロリダ　127

「コロナクレイジー」／スウェーデン・モデルの真の狙い／都市とは人々がつながるための場所／若い世代にはオフィスが必要／コワーキング・スペース／オフィス街の新しい機能／グレート・リセット／転居できるのは特権的な階級／自宅で仕事をした方がいい／リモートワーカーを誘致する都市／「第三の場所」とは何か／未来の工場／ウェルネスとフィットネス／日本人による新しいオフィス／ポスト・パンデミックの世界／コロナ禍で学んだこと／教訓を忘れないために

第6章　ＧＡＦＡの勝者アマゾンは医療を目指す　スコット・ギャロウェイ　159

数十年分のことが数週間で起きる／「分散化」というトレンド／オンライン診療の増加／エンパシーの希薄化／国の規模を超えたＧＡＦＡ／ＧＡＦＡの勝者、アマゾン／費用を収益に変える仕組み／アマゾンはリモート医療で稼ぐ／アップルはサブスクで稼いでいる／スポティファイとの大きな違い／アップル・カーの登場／グーグルとフェイスブックの今後／フェイスブックへの厳しい視線／マッチング・アプリも「勝者総取り」／若いが貧しく孤独な男性

第7章　コロナ後の「Gゼロの世界」　イアン・ブレマー　183

中国はオミクロン株に勝てない／「Gゼロ」におけるパンデミック／北京五輪の外交的ボイコット／バイデン大統領の対中政策／習近平の狙い／国際社会における中国のミス／米中冷戦、最悪のシナリオ／日本の抱えるリスク／韓国大統領選挙が分かれ目／岸田首相が取り組むべき課題／憲法改正は優先しなくていい／アメリカの抱える「分断」という病／トランプ前大統領は「症状」／「力の空白」が生じる地域／計画的だったウクライナ侵攻／ロシアの偉大さを取り戻したい／国際協調復活のシナリオ

おわりに　215

第1章

デジタル独裁主義の悪夢を阻むには

ユヴァル・ノア・ハラリ

イスラエルのヘブライ大学で歴史学を教えるユヴァル・ノア・ハラリ教授（46）は、『サピエンス全史』（邦訳は河出書房新社）で、世界中から注目された。

他の種も多くいた原始人類のなかで、なぜひ弱なホモ・サピエンスだけが生き残り、今日のような繁栄を築けたのか。同書でハラリ教授は、ホモ・サピエンスだけが「虚構を信じる」という特殊な能力を持っていたから、という視点で壮大な人類史を読み解いていった。

同書が大ヒットしたきっかけは、英語版を読んだマイクロソフト創業者のビル・ゲイツや、フェイスブック（現・メタ）創業者のマーク・ザッカーバーグが絶賛して紹介したこと。同書はすでに約50カ国で翻訳されている。

続く『ホモ・デウス』、『21 Lessons』（同前）もベストセラーとなり、いまや彼の著作は全世界累計で2000万部に達しているという。

歴史学、生物学など文理の壁を超えた博識を誇るハラリ教授は、「世界で最も影響力のある知識人」とも称されている。そんなハラリ教授に、新型コロナウイルスによるパンデミックが人類文明に与えた影響とは何か、これから私たちの世界はどのように変わっていくのかを語ってもらった。

忘れられた１９１８年のパンデミック

こう言うと驚かれるかもしれませんが、今回の新型コロナウイルスによるパンデミックも、１００年後に覚えている人はほとんどいないでしょう。それは今から約１００年前の１９１８年に起きたスペイン風邪によるパンデミックを考えてみたら明らかです。

当時は悪性のインフルエンザウイルスが世界中に広がり、感染者は５億人にも及んだと言われます。これは当時の人口の約４分の１です。死者数は最大で１億人近くとも推定されますが、これは当時４年に及んで続いていた第一次世界大戦の死者数を上回る規模です。

それなのに、私たちは何も知らなかったでしょう。事実上、忘れてしまっていたと言ってもいいくらいです。第一次世界大戦を描いた映画や小説などは知っていても、パンデミックは人類の歴史的な記憶に残らなかったと言うこともできます。

その一方で、この１００年で人類とパンデミックの戦いの様相は、大きく変化しました。人口の急激な増加と交通網の発達によって、ウイルスにとっては流行を拡大させるのに、もってこいの条件が揃っていました。東京や香港など人口が密集した都市が増え、そうした都市と都市が空路で結ばれて、グローバルな流通ネットワークも発達しました。

しかし、ウイルスにとっての好条件のわりに、感染者数における死亡者の割合はかなり低下しています。２０２２年２月下旬の時点で、感染者数約４億２０００万人に対して、死亡者数は約５９０万人です。

１９１８年当時、医師、科学者たちはスペイン風邪の原因を突き止めることができず、感染を食い止める方法を知りませんでした。ところが、２０１９年に新型コロナウイルス感染症（以下、COVID-19）が報告されると、翌年にパンデミックになる以前からワクチン開発が進められました。

そして、かつてないスピードで新しい複数のワクチンが開発されて、先進国を中心にワクチン接種が進みました。その結果、もはやパンデミックは1世紀前のようにコントロール不可能な存在ではなくなったのです。

たしかに、いまだにワクチン接種を拒否している人や、接種が進んでいない国々があるので、完全にパンデミックをコントロールできているとまでは言えません。それでも、ウイルスの増殖を止める飲み薬の開発も合わせれば、私たちはパンデミックに立ち向かえるだけの科学的ツールを備えていると言えるでしょう。

政治的イシューとなったパンデミック

すると、21世紀におけるパンデミック対策は、純粋に科学的な問題ではなく、政治的なイシューとなりました。なぜなら、どのように感染防止対策を打ち出し、ワクチンなどの科学的ツールをどう分配して使用するか、それを決めるのは政治家だからです。

ある意味で今回のパンデミックは、我々の政治システムが緊急事態において円滑に機能するかテストしたようなものです。残念ながら、あまりにも多くの国がテストで不合格となりました。１９１８年のパンデミックと比べると、自然災害的な被害よりも、政治的なインパクトのほうが、はるかに大きかったと思います。

世界の国々を見渡すと、民主主義国家の中で、明らかにパフォーマンスが悪かったのはアメリカとブラジルです。ドナルド・トランプにジャイル・ボルソナロと、どちらの大統領も、ＣＯＶＩＤ-19を「ただの風邪」と軽視して、初動対策を誤りました。

比較的にパフォーマンスが良かったのは、台湾、ニュージーランド、韓国といったところでしょうか。日本は欧米各国と比較すれば、かなり感染者数が少ないので、パフォーマンスは良かったほうだと思います。けれども、感染者数がそこまで多くないのに、なぜか医療の逼迫《ひっぱく》状況が深刻でした。この点が大きな問題でしょう。成績で言えば中間レベルです。

中国的権威主義体制の落とし穴

そして、ＣＯＶＩＤ－19が浮き彫りにした問題は、国際秩序がいかに脆弱《ぜいじゃく》な状態にあるかということです。これは、私が一番危惧していることです。感染症について最も認識しておかなければならないことは、世界のどこであれ、たった一国でも感染防止対策に穴があれば、それは全人類にとっての危機になりうるということです。

その点において、自国中心主義がもっともリスクを広げます。

中国のような一党独裁体制で強権的なロックダウンを行える国のほうが、より効率的に対処できるという意見もありましたが、私は逆に、このパンデミックによって権威主義体制の落とし穴が露呈したと考えています。それは同時に、民主主義体制のアドバンテージを際立たせることにもなりました。

哲学者や歴史家は、権威主義と民主主義を比較するとき、３つの点を重視してきました。

1つ目は、情報流通の自由さです。民主主義は表現の自由と報道の自由を保障しますが、権威主義や独裁体制は両者の自由を制限することで国民を支配しています。支配者に不利な情報を流す者は取り締まられ、そのために検閲システムの整備が徹底されています。

COVID-19の発生が最初に報告されてから2年以上たつというのに、ウイルスの発生源がいまだに突き止められていないことが、その証左です。発生からの数週間、武漢でいったい何が起きていたのか、何も明らかになっていません。

これが民主主義国で最初の感染例が報告されていたら、どうだったでしょうか。仮に当局が情報を規制しようとしたところで、いずれは情報が明らかにされていたでしょう。報道機関か個人か、いずれにせよ必ず公表したことでしょう。

2つ目は、間違いを修正するシステムの有無です。権威主義体制の指導者が、自らの政策の誤りを見つけて修正することは非常に難しい。むしろ、その問題の責任を外部になすりつけて、被害を大きくしてしまうものです。スターリンが間違った政策によって、膨大な餓死者を出したことからも明らかでしょう。

民主主義国家であれば、リーダーが自らの誤りを否定しても、周囲がその誤りを指摘して、別の行動方針を示すはずです。

3つ目は政治家や官僚など政治システム内部にいる人たちのモチベーションです。あるいは、権力移行が起きるだけです。権威主義体制では情報に自由にアクセスできませんし、指導者以外は自分で決断をすることができません。すべて中央政府や党の決定・指示を待たなければなりません。この仕組みは相当の時間を無駄にしてしまいます。

一方、民主主義体制であれば、自分で情報を収集できますし、自らイニシアティブを取ることも可能です。こちらのほうが高いモチベーションで効率的に国家を運営することができます。

監視システムの強化

このパンデミックが始まってからというもの、中国では主にスマートフォンを使った監視システムが強化されました。

国民の持つスマートフォンにはコロナ追跡アプリがインストールされています。加えて、国内のスマートフォンは中国版GPSの「北斗」によって位置情報が収集されているのです。

さらに、中国国内にはすでに5億7000万台ほどの監視カメラが設置されています。AIを用いた顔認証システムの「天網」を使えば、監視カメラの映像から個人を自動的に判別できます。位置情報、顔認証、追跡アプリなどを総合的に運用すれば、国民一人ひとりの移動履歴、行動履歴を詳細に把握できるのです。

北京冬季オリンピック・パラリンピックにおいて問題になったのが、「MY2022」というアプリです。ワクチン接種情報や毎日の健康状態のチェックに使うという名目で、大会に参加する全員が自分のスマートフォンにインストールすることを義務付けられました。

このアプリは中国の国営企業が開発したものですが、データを暗号化せずに送ってしまう脆弱性が指摘されています。つまり、第三者によって個人情報を読み取られる危険性があるのです。プライバシーが保たれない可能性が高いので、各国政府が使用を必要最低限にするように、できれば「MY2022」専用の端末を用意するように、と注意喚起をしているくらいです。

中国のこうした監視テクノロジーは、もともと新疆ウイグル自治区で実証実験が行われ、社会に実装化されるようになったものです。パンデミックを隠れ蓑《みの》にして、このような監視技術を実用化するのですから、まさにディストピアといえるでしょう。

民主主義国家も監視をする

中国の政治システムが権威主義で独裁体制だからこそ、そうした監視システムが可能なのだという指摘は、正しいです。ただ、だからといって、民主主義体制の国であれば監視される懸念がないとは決して言えません。

中国とロシアが監視手段を常に改良しているのは間違いありませんが、それはアメリカから私の母国のイスラエルに至るまで、多くの民主主義国家も似たようなことをしています。

「スタートアップ国家」の異名を取るイスラエルには、優秀なハイテク部門と、最先端のサイバーセキュリティ産業があります。ヨルダン川西岸にいるパレスチナ人が電話したり、フェイスブックに投稿したり、街を移動したりすれば、イスラエル側から、マイクや監視カメラはもちろん、ドローンやスパイウェアによっても監視されていると考えたほうがいいでしょう。

日本でも政府が新型コロナウイルス接触確認アプリを開発し、国民に使用することを推奨しました。しかしながら、私たちはプライバシーと健康を天秤にかけて、どちらかを選択することを強制されるべきではありません。個人のプライバシーも健康も、両方とも守られるべきです。

パンデミックと戦うために、警戒することが必要なのは確かですが、注意しないと民主主義を弱体化させてしまいます。民主主義国家の指導者たちは、スマートフォンの感染対策アプリの導入を、一時的な対策だと説明するでしょうが、その言葉を簡単に信じるべきではありません。

個人データを収集する企業

ハイテク企業によって個人のデータ獲得戦争がすでに始まっていることを、私たちはよく知っているはずです。

グーグル、フェイスブック、百度《バイドウ》、騰訊（テンセント）……。彼らは無料の情報、便利なサービスや娯楽を提供することで、私たちの個人的な興味や関心を知り、そのデータを膨大に集めて広告主に転売しています。むしろ、今では広告スペースを売ることが彼らの本当の事業ではなく、私たちに関するあらゆるデータを蓄積することが目的となっています。

それを知っているにもかかわらず、私たちは自分の最も貴重な資産であるはずの個人データを、無料のメールサービスを使ったり、かわいらしい子猫の面白い動画を見たりするのと引き換えに、喜んでビッグテック企業に提供しています。

これは、きれいに輝くガラス玉や色とりどりの装身具と引き換えに、ヨーロッパの帝国主義者たちに騙されて国を売ってしまったアフリカの部族やアメリカの先住民の姿と似ているようにも思えます。

とはいえ、普通の人にとってビッグテック企業の提供するサービスを一切使わずに生活するのは、もはや困難です。

誰がデータを所有するのか

話を民主主義国家に戻しましょう。

かつて、農産物や畜産物の生産が経済の主流だったころは、土地がこの世で最も大切な資産であり、政治は土地を支配するための戦いでした。広大な多くの土地が、ごく少数の者に集中するようになると、社会は貴族と庶民に分かれました。

近代になると、土地よりも機械と工場が重要になりました。そうした生産手段を多く所有した者が資本家階級となり、残りは労働者階級になりました。

21世紀になると、機械と工場よりも個人データが重要な資産となりました。すると必然的に、政治とはデータの流通を支配するための戦いになるでしょう。

つまり、莫大なデータを誰が所有するのか？　その答えが私たちの未来を決めるのです。

民主主義国家であっても、政府が一元的に個人データを蓄積するようなことを許すべきではありません。歴史的に見ても、独裁制は権力のみならず、情報も一カ所に集中させてきました。

このパンデミックにあっても、プライバシーと健康の両方を守り、民主主義を弱体化させないためには、どうしたらよいでしょうか。

政府が感染対策を口実に国民の監視を強めるようであれば、国民の側も政府を監視できるようにするべきです。感染対策アプリで収集されたデータがどのように使われているのかを監視し、緊急経済対策の予算がどのように配分されて使われているのか、国民がモニターできるシステムを作るべきです。

最も重要なことは、データを少数の機関に集中させないことです。データを分散させてしまうのは、非常に非効率だと思うでしょうが、この場合、非効率はマイナスというよりもプラスに働きます。多様性のある生態系のほうが強いように、自然のシステムの多くは、非効率で余剰性を備えています。単線的でないからこそ、危機に対してレジリエントになれるのです。

人類のハッキング

20世紀までは、あまりにも膨大な情報を一カ所に集めるのは、非効率でした。すべての情報を分析して正しい判断を下せる人間などいないからです。もちろん当時のコンピュータでも不可能でした。東西冷戦においてソ連がアメリカよりも劣っていた原因の一つが、情報を一元集中させたことです。

ところが、ＡＩの発達によって情報を集めれば集めるほど、学習が進むようになりました。10万人のデータより10億人のデータを使ったほうが、はるかに優れたアルゴリズムを作ることができます。

そして、私たちはもう一つの革命的な科学の躍進を目の前にしています。生物学が人体の謎を解き明かしつつあります。バイオテクノロジー革命とＡＩを筆頭とするＩＴ革命が合わさったとき、何が起きるのでしょうか。

人類の「ハッキング」です。すでにグーグルなどのようなビッグテック企業は、私たちの嗜好や行動を、本人以上に知っています。

その技術が医療の分野に応用され始めています。バイオメトリックデータ（生体データ）の利用です。近い将来、私たちが体調に異変を感じるより前に、日々のバイオメトリックデータを収集・解析しているＡＩが、がん細胞の発生や血管のつまり具合を指摘してくるようになるでしょう。

こうしたビッグデータ・アルゴリズムとバイオメトリックデータを手にしたならば、独裁者は何を始めるでしょうか。

すべての国民に言動はもちろん、血圧や脳活動をモニターできるウェアラブル機器を装着させます。莫大なデータに基づくＡＩ学習によって、脳活動の状況から感情まで読み取れるようになっているでしょう。すると、独裁者は国民の一人ひとりが言葉に出さなくても、何を考えているのか読み取れてしまうのです。

たとえば、金正恩の写真を見せられただけで、脳内の変化を読み取られて、翌朝あなたは強制収容所に収監されているかもしれません。

これは極端なたとえ話ですが、テクノロジーが市民をコントロールするようになるデジタル独裁主義は現実化の一歩手前まで来ています。このパンデミックによって、その流れが加速してしまったことは、間違いありません。

ビッグデータは使われ方一つで、私たちをあっという間に奴隷にしてしまいます。中国のようなパノプティコン（全展望監視システム）社会に住みたくはないでしょう。

とはいえ、データの収集はとどまるところを知らないでしょう。そうであれば、もっと私たちと民主主義を力づける形で使う方法を考えなければなりません。

チャイナ・ファースト

中国はこの30年間、経済面、外交面、軍事面でアメリカと争って台頭してきました。十数年前と比べても、その勢いは増す一方で、はるかに強大な存在となっています。

習近平国家主席の体制となってからというもの、対外的には「チャイナ・ファースト」とでも呼ぶべき偏狭な姿勢を強めています。彼が就任した当初のことを思い出すと、私たちは楽観的すぎたようです。

しかも、この20年を振り返ると、世界で民主主義が後退しています。民主主義の先頭ランナーであるべきアメリカが社会の分断を広げ、トランプ前大統領のような人物を選んで自国中心主義を強めたことが、その象徴とも言えます。

先ほど述べたように、民主主義の良いところは、間違いをおかしても修正する能力があること、つまりレジリエンスがあることですが、努力を怠るとすぐに劣化してしまいます。民主主義とはそれほど脆弱なシステムなのです。

民主主義が退潮していくのに合わせて、習近平体制下で中国が権威主義を強めてきました。ロシアがウクライナを渇望しているように、中国は台湾を占領下に置こうとしています。中国がこの野望を捨てることはないと肝に銘じましょう。

さらに中国は南シナ海の島々に海軍を配置して軍事的に支配し、領有権を主張しています。この海域は世界貿易において3分の1の船舶が通航するところなので、中国にとって台湾と並ぶ最重要課題なのです。

この海域では今までも米軍と衝突しかけたことがありますが、これ以上の緊張状況を作り出さないようにするためには、同盟国の協力が必要です。

２０２１年の９月にはアメリカはイギリス、オーストラリアと一緒にＡＵＫＵＳ（オーカス）という対中国を目的とした安全保障の枠組みを作りました。これは原子力潜水艦の開発で連携協力するものですが、中国はインド・太平洋地域の平和と安定を著《いちじる》しく損なうものだと非難しています。

そもそも民主主義国家の価値観と、権威主義国家のそれとは、正反対なのですから何をしても相容れることがありません。

ただ、どちらの国家も世界経済システムの中に組み込まれているので、それを外れて経済的に存続するのは不可能です。ですから、こうした同盟は習近平主席の神経を逆撫ではするでしょうが、抑止効果のほうが大きいでしょう。

日本の現実的な脅威

台湾問題は日本の安全保障にとって現実的な脅威です。前にも述べたように、中国が台湾を支配下に置くことを諦めることはありえません。それを大前提にして準備しておかないと、中国が突如不意打ちで台湾に侵攻したときに間に合いません。

そのためにいま必要なことは、アメリカと日本と台湾の総合的な軍事力を強化するために、ジョイントコマンドセンターのようなものを設置し、いざ中国が侵攻してきたときに、具体的にどのように対処するのか事前に決めておくことです。ミサイルをはじめとして、台湾に何を提供しておけばいいのか、すべて具体的に決めておかなければ間に合わないのです。

２０３０年ごろには中国が世界一の経済大国になると予測されています。それに加えて中国が覇権をとる世界で生きていたくありません。

中国は共産党による一党独裁体制ですが、経済システムは資本主義です。国が絶対的な決定権を持っていますから、国家資本主義とも呼ばれています。

私たち民主主義陣営にいる者は、中国のような国に対して、共通する価値観を強制してはなりません。価値観の衝突で戦争にエスカレートしてしまうのは最悪です。お互いが異なることを認めるしか、手立てはないのです。

パンデミックの教訓

このパンデミックで得られた教訓は何か、と問われることがあります。やはり科学者たちが国際的に協力して立ち向かったことでしょう。ワクチンの迅速な開発が、なによりの成果です。加えて、新型コロナウイルスに関する研究論文も、世界中から日々出されています。

ただ、無責任きわまりない一部の政治家が、国民の健康を軽視して、迅速に行動しませんでした。グローバルな協力体制も機能したとは言えません。その意味でこのパンデミックへの対応は素晴らしい科学的な成功である一方で、世界的な政治的失敗だったということです。

科学者たちが政治家に置き換わることはできませんが、各国の指導者たちは科学者たちのグローバルな協力から学べるはずです。このパンデミックを奇貨として、全体主義的な監視国家に変えることもできますし、国民と民主主義を力づける透明性のある政府に改善することもできます。

たしかに、各国指導者は新型コロナウイルスに不意打ちを食わされました。事前の準備も十分ではなかったでしょう。その教訓にたてば、公衆衛生システムにもっと投資をして改善するべきでしょう。国内だけではなく、国際的な協調ネットワークを築いて、危険なウイルスの発生を検知して、拡大する前に対処することです。ＷＨＯ（世界保健機関）が中国に寛容だったことを考えれば、こうした国際組織は非協力的な指導者によって活動が妨害されないように、政治的な影響力も持たないといけません。

国際的な協調の枠組みを築くことは、将来パンデミックが起きるリスクを低減するだけではなく、さらに山積しているグローバルな問題に取り組むのにも役立つはずです。現在、世界各国はグローバルなシステムにおいて協調しあう姿勢が欠けています。

ここ何十年かにおいて、国際社会は「リベラル」（自由主義）というキーワードで秩序を守ってきました。

現在、リベラルと言うと、同性婚や銃規制や妊娠中絶の権利などを支持する層を指すものとして使われがちです。しかしそもそもは、投票の自由、職業選択の自由、人種差別の否定といった価値観のことです。

そして、何よりも重要な点は、対立よりも協力に価値を見出すことです。この価値を推進するためには、人、モノ、カネ、思考など、すべてが自由に地球上を移動できることが必要です。そのために国際的な機関が設立され、国際秩序が形作られてきたのです。

このリベラルな国際秩序のおかげで、人類史上で初めて、餓死するよりも、肥満が原因で死亡する人が多くなり、暴力で殺される人よりも、病気や事故で亡くなる人が多くなったのです。

ただ、こうした国際秩序は、みんなが住んでいるのにもかかわらず、誰も修理やメンテナンスをしようとしない家のようなものです。何かがきっかけで家が崩壊してしまえば、みんなが被害をこうむるのに、危険が迫るまで誰も目を向けないのです。世界的な格差や分断が拡大している21世紀にあって、私たちは国際秩序をもう一度取り戻さなければなりません。

東西冷戦中は、核戦争が喫緊の脅威でした。現在、人類が共有している重要課題の一つは、気候変動問題でしょう。最も信頼のおける科学的推定によれば、今後20年間に温室効果ガスの排出を劇的に減らさなければ、地球の平均気温は産業革命前と比べて2度以上も上昇します。極地の氷が溶け、海水面が上昇し、異常気象に見舞われます。

これほど世界的に共有すべき問題についてでさえ、それぞれの国によって事情が違います。化石燃料を再生可能エネルギーに切り替えようとしても、石油とガスの輸出で経済を成り立たせているロシア、イラン、サウジアラビアが諸手《もろて》を挙げて賛成するでしょうか。しかもロシアは北極の氷が溶ければ、北極海を航行ルートに使えます。気候変動問題でさえ、国際協調が難しいのです。

ただ、今回のパンデミックで国際的な協調体制が築けなかったことで、その被害がグローバルに拡大してしまったのは明らかです。COVID–19がグローバルな連携協力の重要性に目を向けるきっかけになるのであれば、私たちにとってこれほど力強い教訓はないでしょう。

第2章

mRNAワクチンが切り拓く可能性

カタリン・カリコ

つい数年前まで、ごく限られた研究者にしか知られていなかったカタリン・カリコ氏（67）だが、新型コロナウイルス感染症（以下、ＣＯＶＩＤ-19）用ワクチンの開発者として世界中で知られるようになった。

ファイザー／ビオンテックとモデルナがワクチンとして初めて活用したのが、メッセンジャーＲＮＡ（以下、ｍＲＮＡ）である。１９７８年にハンガリーのセゲド生物学研究所で研究者としてのキャリアをスタートさせたカリコ氏は、そのときからＲＮＡを研究テーマとしていた。カリコ氏は40年以上にわたってＲＮＡについて研究し、ついにワクチンとして実用化させたのだ。

いまやノーベル賞候補として取りざたされるカリコ博士だが、その人生は波乱万丈であり、研究の意義を周囲から認めてもらえない不遇な時期が長かった。しかし、そんな苦境に屈せず、異国の地で研究に邁進《まいしん》してきた。

今回は、ＲＮＡ研究をワクチンとして結実させるまでの道のりと、オミクロン株のような新たな変異株に対して、ｍＲＮＡワクチンが有利に働く可能性について語ってもらった。

人生の分岐点となった出会い

人生には浮き沈みがつきものと言いますが、新型コロナウイルスのワクチンを開発するまで、私の人生はずっと沈んでばかりでした。ＲＮＡの研究をしている専門家たちにはある程度知られていましたけれど、一般の人は私が何者であるか、知らなかったでしょうし、関心もなかったことでしょう（笑）。

きっかけは２０１３年７月、ビオンテックのＣＥＯであるウール・シャヒン氏が、私の講演を聞きに来てくれたことでした。ペンシルバニア大学でドリュー・ワイスマン教授と私が共同研究で生体に投与しても炎症反応を起こさないよう改良したｍＲＮＡを、同社が開発しているワクチンに使えるのではないかと興味を持ってくれたのです。

　BioNTechという社名はBiopharmaceutical New Technologiesの頭文字からとったもので、新しい技術でバイオ医薬品を開発するベンチャー企業を表しています。トルコ系のシャヒン氏とオズレム・テュレジさん夫妻が、２００８年にドイツで設立しました。もともと2人とも科学者で、がんの免疫療法を研究していました。

　当時、ビオンテックではがん治療にｍＲＮＡを使うことができないかと検討していました。それで私たちが改良したもので試してみたいと、仕事をオファーしてくれたのです。私は即答でＯＫし、ビオンテックのあるドイツのマインツに渡り、同社の副社長（２０１９年からは上級副社長）に就任しました。

　実は、少し前に私はペンシルバニア大学で教授への昇格を断られていたのです。２００９年までは、研究室の主宰者である上級研究員だったのですが、非常勤の准教授になりました。非常勤というのは事実上、これ以上は研究者としての人生を歩めないということです。それでも歯を食いしばって研究を続けていました。

　私がペンシルバニア大学から去ってビオンテックで働くことを教授たちに告げると、

彼らはこう言って笑いました。

「ビオンテックなんてウェブサイトさえ持っていないじゃないか！」

画期的だったジカ熱のワクチン

ビオンテックの社員はいま約１８００人にもなりましたが、私が入ったころは１００人ほどだったでしょうか。研究者夫妻で始めた企業だけに、経営陣もみな科学者であり、サイエンス的な視点を重要視するカルチャーがあります。

ここで私は同僚たちと、がん、ジカ熱、インフルエンザと、いろいろな病気に対するｍＲＮＡを使ったワクチンの開発を進めてきました。ｍＲＮＡを使ったワクチンは非常に不安定なのですが、脂質の膜で包むことで克服できることもわかりました。

そして、画期的な成果が出たのは２０１７年のことでした。

ワイスマン教授らと共同研究を続けた結果、ｍＲＮＡワクチンをネズミとサルに投与したところジカ熱のウイルス感染を防ぐことができたのです。ジカ熱は蚊がウイルスを媒介する感染症で、軽度の発熱や関節痛などを引き起こしますが、妊婦が感染すると胎児に小頭症などの先天性障害を来すことがあります。2016年のリオ五輪・パラリンピックのとき、現地で流行して話題になっていたので、ご存知の方も多いでしょう。

このジカウイルス用ワクチンで非常に重要な知見が得られました。ネズミとサルというまったく大きさの違う動物に対して、同じ量のワクチンで同様の効果を発揮できたことです。

つまり、体の大きさ（体重）でワクチンの量を調節する必要がないのです。これは人間にも当てはまります。

これはパンデミックになると直感したCEO

2020年の初め、中国の武漢で新しいタイプのコロナウイルスが流行しているというニュースを聞いたとき、ちょうど母国のハンガリーに帰省していた私は、正直な

ところ、

「中国で起きていることでしょう。こちらには関係ないわ」

というくらいにしか思っていませんでした。

ところが、ＣＥＯのシャヒン氏は違っていました。同年1月に武漢でＣＯＶＩＤ-19がアウトブレイクしていることを知ると、これはウイルスが世界中に拡がって、パンデミックになると直感したそうです。武漢には国際的なハブ空港があるからです。

翌日、彼は開発チームを招集し、こう言ったそうです。

「やがてドイツにも来るパンデミックに、我々は対処しなければならない」

シャヒン氏には、ある程度の勝算があったようです。

というのも、すでにビオンテックはアメリカの世界的メガファーマであるファイザーと提携して、２０１８年からｍＲＮＡを使ったインフルエンザ・ワクチンを開発していたからです。このワクチンは動物実験をすでに終えていて、ヒトへの臨床試験を進めようとしていた段階にありました。

ですから、世界中で臨床試験を何万人もを対象に実施することも、それだけの数のワクチンを製造・配送することも比較的容易だったのです。

さらに、インフルエンザ用に開発していたワクチンを新型コロナウイルス用に切り替えることは、mRNAを利用したワクチンですと極めて簡単なのです。このウイルスのゲノム配列は2020年1月10日には中国の研究者が解析して公表していました。これに合わせてmRNAを合成すればOKです。ここがmRNAを使うタイプのワクチンの大きなメリットなのですが、この点については、後で詳しく説明することにしましょう。

ご褒美はチョコレート菓子

2020年の3月にはファイザーと新たな提携契約を結んで、4月下旬には臨床試験が始まりました。

ファイザーは、モデルナと同じ7月27日に、アメリカのロチェスター大学で最初のボランティアにワクチンを打つ後期臨床試験を開始しました。モデルナなどライバル企業との開発競争もあり、なるべく早くハイリスク層（高齢者や基礎疾患のある人）に対するワクチンの緊急使用許可を申請できるだけの十分なデータを得たいと考えていました。

その後、ワクチンの治験が世界中で進められ、最終段階（フェーズ3）の中間解析結果が正式に発表される前日の11月8日、シャヒン氏から電話がかかってきました。いま誰かと一緒にいるかと尋ねてきたので、自宅で夫と一緒にいると答えると、彼は話を続けました。

「フェーズ3の結果は大成功だった」

その知らせを受けて私は、大好きなチョコレート菓子の袋を手に持って、夫にこう言いました。

「今日だけは一人で一袋全部食べさせてもらうわよ！」

グーバーズというピーナッツ入りのチョコレートが、私にとってはお祝いのシャンパンだったのです。

実際に私がワクチン接種を受けたのは12月18日でした。ＦＤＡ（米国食品医薬品局）が緊急使用許可を出した1週間後です。ペンシルバニア大学でワイスマン教授と一緒でした。部屋には医師や医療関係者たちが接種の順番を待って並んでいました。私たちも今までの研究の道のりを振り返って話しながら、順番待ちをしていました。

隣の部屋で接種を終えて出てきたら、みんなが待ち構えていて拍手で出迎えてくれたのです。このときばかりは、いろんな感情がわいてきて、涙があふれるのを止められませんでした。

ＲＮＡとは何なのか

ｍＲＮＡを使ったワクチンが画期的であるのは、これがＣＯＶＩＤ-19だけではなく、他のウイルスはもちろんのこと、がんや心臓病、脳神経疾患などにも、幅広い応用が可能になるからです。

なぜそんなことができるのか、それを説明するためには、まず「ＲＮＡとは何か？」から話さないといけません。

みなさん、DNAについてはよくご存知でしょう。ここにすべての遺伝情報が入っています。RNAは言ってみれば、DNAをお手伝いする仲間です。

DNAとはデオキシリボ核酸の略で、RNAはリボ核酸のことです。どちらもヌクレオチド（糖＋塩基＋リン酸）という物質が連なって鎖状になっています。DNAは「デ・オキシ」と名前に付いていることからわかるように、酸素がRNAより一つ少ない構造で出来ています。またヌクレオチドの鎖がRNAは1本、DNAは2本。DNAが二重らせん構造をしていることはご存知ですね。長さはRNAよりDNAのほうがはるかに長く、ヒトの細胞一つあたりのDNAは2メートルにもなります。

タンパク質の設計図を運ぶ

細胞の中にはいろんな種類のRNAが存在しているのですが、そのうちmRNAはDNAの遺伝情報を一部だけコピーして、リボソームという細胞内小器官に運びます。遺伝情報を配達する役目を担っているので「メッセンジャー」と呼ばれるのです。

リボソームでは、その設計図をもとにアミノ酸をつないでタンパク質が合成されます。どのアミノ酸をどういう順番でつなげるのか、それでタンパク質の性質がまったく変わります。

ここで重要なことは、mRNAが運んできた設計図をもとにタンパク質が作られているということです。

ウイルスのトゲを作る

コロナウイルスの形はニュースで何度も資料画像をご覧になったから、みなさん覚えているでしょう。トゲがいっぱい生えたウニのような見た目をしています。このトゲが鍵のような働きをして、細胞膜に並んでいる鍵穴を開け、私たちに感染するのです。このトゲはタンパク質で出来ていて、「スパイクタンパク質」と呼ばれます。

ワクチンに入っているmRNAは、ウイルスのスパイクタンパク質と同じものを作るように、人工的に合成したものです。

ですから、ワクチンを打つと、細胞の中ではウイルスのトゲの部分がいっぱい作られます。すると免疫システムはウイルスが侵入してきたと勘違いして、免疫の警察やら消防隊やらが一斉に出動します。ウイルスを食べたり、感染した細胞に毒をかけて殺したり、ウイルスの指名手配書を作ったり、さまざまな種類の免疫細胞が任務を遂行します。

そのいろんな免疫細胞のうち、B細胞はトゲにぴったりくっつく形の抗体を作ります。すると抗体はたくさんウイルスにくっつき、まとめて塊にして、他の細胞に感染できないようにしてしまいます。

免疫システムの素晴らしいところは、一度抗体を作るとB細胞の一部が記憶細胞に変わって、もう一度同じウイルスが侵入しようとすると、すぐに抗体を作ってくれることです。ワクチンはこの仕組みを利用しているのです。

初めて出会うウイルスに感染したときは、抗体を作る免疫細胞たちが働き始めるまで数日かかってしまうのですが、記憶細胞ができていれば、免疫細胞がすぐに活性化されるので、感染する前にウイルスを食い止められることも多いのです。

つまり、ワクチンを打って一度、十分な量の抗体を作っておけば、記憶細胞がすぐに免疫システムをフル稼働してくれるので、感染そのものを防いでくれますし、感染してもウイルスの増殖を食い止めて、重症化しないようにしてくれるのです。

変異株に対応するワクチンの開発

では、ウイルスの新しい変異株が増えてきたら、どのようにワクチンを変えたらよいのでしょうか。変異株に合うｍＲＮＡを作ればいいのです。

新型コロナウイルスの変異は、主に細胞に結合するトゲ（スパイクタンパク質）の部分で起きています。変異株のトゲが従来株よりも細胞の鍵穴にぴったりとはまるものであれば、感染力が強くなります。

２０２１年末から２０２２年にかけて世界的に蔓延《まんえん》したオミクロン株も、やはりトゲが変異して、従来株よりもはるかに感染力が強くなったと考えられます。

この変異したスパイクタンパク質を細胞内で作るようなｍＲＮＡを合成すればいい

のです。変異株のゲノム解析ができれば、だいたい6週間ほどで新しいワクチンを開発することができます。

これは新型コロナウイルスに限りません。他のウイルスを標的にしたワクチンでもそのウイルスの鍵と同じタンパク質を作るmRNAを合成すればいいのです。ただし、ワクチンを開発するだけなら6週間で可能ですが、そのワクチンを実際に何百万人分に増産するのに3カ月ほどはかかるでしょう。

タンパク質で病気を治療する

mRNAが医療に開く可能性は感染症対策だけにとどまりません。

多くの病気が、ある特定のタンパク質の機能を促進したり、阻害したりすることで治療できます。まさに薬（化合物）の役割がそれで、多くの解熱薬はシクロオキシゲナーゼというタンパク質に結合することで、発熱物質が産生されるのをストップしているのです。

また治療用に作られたタンパク質もあります。最も有名なものは、糖尿病の治療に使われているインスリンです。他にも、がんや脳神経疾患、循環器疾患、自己免疫系疾患など、いろんな病気に対する治療用のタンパク質が開発されています。

ということは、ｍＲＮＡで望み通りのタンパク質を体内で作ることができれば、いろんな病気を予防・治療することができるのです。たとえば、ケガやヤケドをしたところに傷を治すのに必要なタンパク質を作るｍＲＮＡを入れてあげれば、治癒するまでの時間を短縮できるはずです。

医療分野において、さらにＲＮＡが優れているのは、安定的でなく壊れやすいことです。ここが丈夫なＤＮＡと違うところです。壊れやすいのがメリットだというのは、どういうことでしょうか。

遺伝子組み換え技術だけでなく、精緻なゲノム編集の技術が確立したことで、遺伝子治療の分野がとても注目されています。２０１８年にはＨＩＶウイルスに耐性をもつようにゲノム編集をした双子が生まれたと中国人研究者が発表し、世界中で大ニュースとなって波紋を呼びました。

ＤＮＡは非常に強く、ほぼ恒久的なものです。変異した部分を切ったり、新しい配列を加えたり、なんらかの操作を加えれば、患者が生きている間はずっと残りつづけますし、子孫に引き継がれていく可能性さえあります。

ですから、ごく一部の限られた人をのぞいて、ほとんどの人にゲノム治療は必要ないと私は思います。

反対にｍＲＮＡは、投与された人の体の中でタンパク質を作り、数日から1週間ほどすればきれいに消えてしまいます。効果は一時的なものであり、その意味では薬と同じですが、薬では不可能な治療をしてくれます。恒久的なＤＮＡと比べたら、はるかに安全性が高いといえます。

ＲＮＡ研究をスタート

私がＲＮＡについて研究を始めたのは、１９７８年にハンガリー科学アカデミー付属のセゲド生物学研究所に入って、博士号取得を目指していた頃です。

当時、ＲＮＡを研究することは生命科学のジャンルにおいて、世界的に注目されていました。ただし、現在のようにｍＲＮＡを合成することはできず、断片的なＲＮＡを作って、それが抗ウイルス効果をもつかどうかを調べていました。

抗ウイルス剤につながる可能性のある研究でしたので、ハンガリーの製薬会社が資金援助をしてくれました。

私は３つのヌクレオチドで構成されるスモールヘアピンＲＮＡ（以下、ｓｈＲＮＡ）を作っていましたが、１９７７年にｓｈＲＮＡは、細胞内でインターフェロン反応を起こすことがわかっていました。インターフェロン反応とは、ウイルスが侵入したことを周囲に知らせる警報のようなものです。

そこで私はｓｈＲＮＡを作って、抗ウイルス効果を確かめようと考えたのです。ところが、どうやってもＲＮＡを細胞に入れることができません。細胞膜に弾かれてしまうのです。エレクトロポレーション（電気穿孔法）で細胞内に入れることはできましたが、それは人体に使える技術ではなかったのです。

１９８０年代に入るとハンガリーは深刻な不況に陥り、研究所の運営も難しくなってきました。思わしい研究成果があげられず、研究費も打ち切られました。

１９８５年、１月の誕生日を迎えると研究所を辞めなければならないと伝えられました。ちょうど30歳のときのことでした。

夫と2歳の娘と一緒に渡米

それでも研究をあきらめるつもりはなく、ハンガリーはもちろん、ＲＮＡの研究をしているヨーロッパの大学を調べて連絡をしましたが、まったく良い返事をもらえませんでした。

ようやく返事をくれたのは、アメリカのテンプル大学でした。自分の研究内容を詳しく書いた手紙を送ったところ、生化学科がポスドク（博士後期課程修了後の任期付き研究職）としてのポストを用意してくれるとのことでした。

夫はエンジニアとして働いていましたし、娘はまだ2歳でした。母と姉もハンガリーにいますから、できれば離れたくなかったのですが、研究を続けるためには渡米するしかありませんでした。

当時のハンガリーはソ連の影響下にありましたので、自由に海外渡航ができる状況ではありません。アメリカの大学からの正式なオファーでしたので、出国許可はおりましたが、外貨の持ち出しは100ドル（約2万円）までしか認められません。100ドルでは渡米しても生活できません。

持っていた自動車をヤミ市場で売って、資金を工面したものの、今度は外貨に両替するのに苦労しました。それでも外国人学生に協力してもらって、なんとか900ポンド（約1000ドル）を用意できました。

ようやくかき集めた外貨が当局に見つかったら大変です。そこで娘のテディベアの中に隠したんです。幼かった娘は何も知らずに、そのぬいぐるみを抱いて出国しました。今はもう笑い話ですけれど、当時は本当に怖くて緊張しました。絶対にテディベアから目を離さないようにしていたのを覚えています。

「ここに残るか、ハンガリーに帰るか」

テンプル大学でもしばらくｓｈＲＮＡの研究をしていましたが、細胞の中にうまく入れられず、手こずっていました。

そうこうしているうちに、ジョンズ・ホプキンス大学からオファーが届きました。１９８８年のことです。世界屈指と言われる医学部を擁する名門大学で研究ができるなんて夢のようでしたが、それもすぐに潰《つい》えました。

私の上司が、「ここに残るか、ハンガリーに帰るか」とオファーを断るように迫ったのです。おそらく研究者としての嫉妬からでしょう。信頼していた上司でしたが、彼はジョンズ・ホプキンス大学に「カリコはハンガリーからの逃亡者だ」と言って、オファーを取り下げるように要求までしていました。

テンプル大学を辞めざるを得なくなり、ツテを頼って連邦政府の健康科学大学に移ることが出来ました。そこの病理学科で1年間、分子生物学を学びました。

研究対象をｍＲＮＡに

翌１９８９年、ペンシルバニア大学の医学部に移り、エリオット・バーナサン教授のもとで研究を続けました。ポストは研究助教で、年俸は4万ドルほど。さほど良い条件ではなかったですが、とにかく研究を続けたかったんです。

この頃から私はｍＲＮＡを研究するようになりました。患者の治療に使えるｍＲＮＡを作ることが目標でした。当時はＲＮＡよりもＤＮＡの研究のほうがはるかに多く、主流でした。１９９０年にはアメリカで重度の免疫不全疾患に対する初の遺伝子治療が成功しています。

それでも私がｍＲＮＡを選んだのは、治療が終わった後、消えてなくなるｍＲＮＡのほうが患者にとって望ましいと考えたからです。これは当時からずっと私が主張し続けていることで、それでいまもｍＲＮＡを研究しているのです。

ついにタンパク質ができた

バーナサン教授の研究室で、mRNAを細胞に入れて、思い通りのタンパク質を作ることができた日のことは忘れられません。プリンターから測定データがプリントアウトされるのを見つめていました。すると、結果は見事にその細胞が作るはずのないタンパク質ができたことを示していたのです。まるで、自分が創造主にでもなったような気分でした。

これで心臓バイパス手術を受ける患者の血管を強くすることができるかもしれない、脳出血やくも膜下出血の患者を助けられるかもしれない。興奮したあまり、そんなことを教授と語り合ったことを思い出します。

この結果が示しているのは、感染症予防のための抗体、珍しい病気を治す酵素、損傷した心臓組織を修復する成長因子など、思い通りのタンパク質を作り出すことが可能になるということです。

研究資金がない！

ですが、それ以上の研究資金を集められず、チームは解散。バーナサン教授は大学からバイオ企業に移りました。いまから見れば先進的で重要な研究でしたが、当時は斬新すぎて理解してもらえず、研究費を獲得することができませんでした。

実際のところ、これまで私は人の情けで研究をなんとか続けてこられたようなものです。研究助成金を申請する書類を毎日のように書いていましたが、不採用の連続。私が研究者人生で助成金をもらえたのは、後に述べる1回だけです。

学会の会議では隣に座った人に必ず話しかけました。何の研究をしているのですか、と。相手が答えたら、こう言うのです。

「あら、もしかしたら私が研究しているＲＮＡの技術が使えるかもしれませんね。あなたの研究にぴったりのＲＮＡを作ってあげますよ」

ＲＮＡを合成するにはちょっとしたコツが必要なのですが、私は得意でしたからね。

でも、そのうち学会内では「RNAを押し付けてくる人」なんて言われるようになりました。

とにかくRNAを研究する意義をみんなに知ってほしかったし、そうやって知り合えば、いつか何かのきっかけで協力してもらえるかもしれない。そう思ったのです。

1995年には大学から「成果を出せていないし、社会的に意義のある研究とは認められない」と降格を言い渡され、おまけに自分のがんまでみつかりました。途方に暮れて、本当にどこかへ行ってしまおうかと思ったこともあります。

ワイスマン教授との出会い

それでもあきらめずに研究を続けていたとき、出会ったのが後に共同研究者となるワイスマン教授です。コピー機の順番を待って並んでいたとき、ペンシルバニア大学に赴任してきたばかりだった彼がいたんです。それでいつものように、何の研究をしているんですかと、私から話しかけました。

「ＨＩＶウイルスのワクチンを開発したいんだけど、ＤＮＡだとうまくいかないんだ」

と彼が言うので、ではｍＲＮＡを使ってみたらどうでしょうかと提案したんです。それから共同研究が始まりました。

ｍＲＮＡの研究で、暗礁に乗り上げていた問題がありました。合成したｍＲＮＡを細胞に注入すると、免疫が敵だと判断して炎症反応を起こしてしまい、細胞が死滅してしまうのです。この炎症反応をなんとかして防がないと、危なくて人間の治療には使えません。

もともと細胞の中にはいろんな種類のＲＮＡが存在しています。それらはなぜ炎症反応を起こさないのか、ワイスマン教授と私はそれを一つひとつ調べていきました。

すると、トランスファーＲＮＡだけは、炎症反応を引き起こさないことがわかったのです。

大学が独占使用権を売却

いったい何が違うのか？　それを詳しく調べてみると、トランスファーＲＮＡを構成するウリジンという物質に化学修飾が付いていたのです。その化学修飾をｍＲＮＡにも付けたらどうだろうか？

そう考えて、さっそく実験してみました。大成功でした。

それからも多くの実験を繰り返して、結果が正しいことを確認しました。

２００５年にはワイスマン教授と連名で学術誌に論文を発表し、翌年には彼と一緒にＲＮＡＲｘというベンチャー企業を立ち上げて、ＮＩＨ（米国国立衛生研究所）から助成金をもらえることになりました。これが私の人生でたった一度きりの助成金でした。

さらに、２００８年にはｍＲＮＡのウリジンのかわりにシュードウリジンという異性体を使ったところ、従来の10倍ものタンパク質が作られたのです。これでｍＲＮＡ

が作るタンパク質で患者の病気を治すということが、もはや夢ではなくなったのです。

こうした一連の技術で特許を取得しました。特許を取ったのはお金のためではありません。特許を取らないと、研究に注目してもらえないし、資金も集まらないと言われたからです。

しかしながら、特許を取っても研究資金は集まらず、ワイスマン教授と起こしたスタートアップ企業もたたみました。実は研究資金を得るために、日本に行ったこともあります。肺気腫を治療するmRNAを開発する資金を武田薬品工業が提供してくれることになったんです。ただ、私の研究に使える額は、ほんの一部でした。

そして、ペンシルバニア大学は特許の独占使用権をセルスクリプトという実験器具販売会社の代表に売却してしまったのです。ですからmRNAワクチンを開発したビオンテックとモデルナはこの技術の使用ライセンスをセルスクリプトから受けているのです。

せっかく目指していた研究成果を出し、いよいよこれから実用化に向けてチャレンジしようとしたところで、またもや暗礁に乗り上げてしまったのです。

そこで手を差し伸べてくれたのが、冒頭で紹介したビオンテックのシャヒンCEOだったというわけです。これでようやく私のmRNA研究の成果が、世界中の人々に届けられるようになりました。

実はシャヒン氏がビオンテックを立ち上げたのも、私が抱えていたのと同じ悩みがあったからでした。

いまでこそ、私とワイスマン教授の研究成果は、ノーベル賞にも値すると言ってもらえるようになりましたが、当時はまったくと言っていいほど、見向きもされず、研究資金を集めることができませんでした。

いかに素晴らしい研究をしていても、そこに政府や製薬会社などが資金を投じなければ、それで終わりです。これが「死の谷」と呼ばれる問題です。

そこで、シャヒン氏は最新の研究成果を確実に医療の現場にフィードバックするために、ビオンテックを立ち上げたのです。

家族のサポート

900ポンドを忍ばせたテディベアを抱いて渡米した娘も、39歳となりました。

いまでこそ私はCOVID-19ワクチンの開発者として知られていますが、それ以前はゴールドメダリストの母としてしか知られていませんでした。

娘は大学でボートを始めて、北京五輪とロンドン五輪にボート（エイト）のアメリカ代表として出場し、2つの金メダルを獲得しました。

ペンシルバニア大学に入ってくれたので、学内関係者割引で学費が正規の4分の1で済みました。つねづね娘には、大学に行きたかったら、あなたはペンシルバニア大学を選ぶしかないわよ、と言ってきましたから（笑）。

最近、娘にこう謝ったのです。

「アメリカに来たばかりの頃は、お金がまったくなくて、ごめんね。もっとお金があれば苦労しなくてすんだのに」

すると、彼女はこう言ってくれました。

「もし最初からお金があったら、こんなに頑張っていない」

夫も本当に献身的に私を支えてくれました。

アメリカに来て文字通りゼロからスタートした彼は、清掃やペンキ塗りの仕事などをして稼いで、大きな集合住宅の暖房や温水を管理するマネージャーになりました。朝5時に研究室に出かける私と、学校に通う娘を、車で送り迎えしてくれましたし、私が食事の支度をできないときは、彼が用意をしてくれました。

あまりにも私が研究室に通い詰めるので、こんなふうに言って笑いました。

「君の労働時間を時給換算したら、1ドルくらいにしかならないよ。マクドナルドで働いたほうが、ずっと時給が高いぞ」

それでも、私は彼から「掃除をしろ」「料理をしろ」なんて一度も言われたことがありません。なにしろ、ＰＣＲ検査機が故障してフタが閉まらなくなったとき、すぐ修理しに来てくれたくらいです。

高校生のとき、恩師から一冊の本を薦められました。ハンス・セリエ博士が書いた

『生命とストレス』（邦訳は工作舎）という本です。この本を読んで、私はこう考えるようになりました。だからこそ、困難があっても今日まで研究を続けられたのでしょう。

〈自分ができることに集中すること。他人がしていることや他人がするべきことを気にして時間の無駄遣いをするな。他人を変えることはできないのだから〉

第3章

生命とは何か？　ウイルスとは何か？

ポール・ナース

現在、イギリスのフランシス・クリック研究所の所長を務めるポール・ナース氏（73）は、２００１年にノーベル生理学・医学賞を受賞している。長年にわたって酵母菌の細胞が分裂するメカニズムと周期について研究し、「ｃｄｃ２」という遺伝子によって作られるタンパク質キナーゼという酵素が、細胞周期を進行させていることを解明した。

その仕組みは、微生物から人間にいたるまで、あらゆる生き物において共通するものであり、まさに生命の神秘の一端を解明したと言える。この業績によって博士はノーベル賞の栄誉に輝いたのである。

２０２０年には、生涯を通じて初めての著書である『WHAT IS LIFE?　生命とは何か』（邦訳はダイヤモンド社）を出版。そのタイトルどおり、「生命とはいったい何であるのか」という素朴だが深遠な問いに、きわめてわかりやすい筆致で現時点での答えを示した本書は日本でも大ヒットし、世界20カ国以上で翻訳されるベストセラーとなった。

　そのナース博士に、新型コロナウイルスとは何ものなのか、そしてウイルスという不可思議な「生物／非生物」の性質について、語ってもらった。

新型コロナウイルスの生存戦略

　細胞について長く研究してきた私からすると、新型コロナウイルスは基本的に他のウイルスとあまり変わらないものの、ある戦略を持っているように見えます。私はいま、まるでウイルスが意識を持っているような言い方をしましたが、もちろんウイルス自体に意識はありません。しかしながら、このウイルスの生存戦略は、他のウイルスと比べて非常に狡猾《こうかつ》なものだと思います。

　新型コロナウイルスが私たち人類にとって極めて厄介なところは、新型コロナウイルス感染症（以下、ＣＯＶＩＤ-19）で重症化したり死亡したりする人や、いまだに治療法のわからない後遺症に長く苦しんだりする人が一定の割合で発生する一方で、多くの人は感染しても軽症ですんでしまう点です。感染したことにさえ気づかない無症状の人が多くいる一方で、ある日突然重症化してしまう人もいる。これはいまだにＣＯＶＩＤ－19の大きな謎です。

ウイルスが寄生する宿主を殺してしまえば、そのウイルスはすぐに絶滅してしまいます。宿主が死んでしまう前に他の宿主に感染して増殖すること。それがウイルスにとって最重要課題なのです。

従来のＣＯＶＩＤ－19はウイルスに感染してから約5日後に発症すると考えられていますが、長いときには潜伏期間が14日以上にも及びます。ただし、オミクロン株の潜伏期間はもっと短いようです。

一つの細胞でウイルスが１０００倍に増殖

潜伏期間が長く、無症状の人が多いと、感染者が体調の異変に気づかない間に、体内でウイルスがどんどん増殖してしまいます。新型コロナに非常に似ている別のコロナウイルスの場合、１個の細胞に感染すると、１０００個にも増殖することがわかっています。つまり、人間でたとえるならば、１人の親から１０００人もの子どもが生まれるということです。

そして、潜伏している間に、他の人に感染できるほどの数にまでウイルスが増殖し、感染者本人は気づかないままウイルスを周囲に撒き散らしているのです。少なくとも、発熱、くしゃみ、咳など何らかの症状が出る2日ほど前から、ウイルスは感染者の周囲に解き放たれているようです。

あなたが新型コロナウイルスに感染すると、喉や肺の細胞に侵入したウイルスはＲＮＡ遺伝子という設計図をもとにして、細胞内の材料で自らを増殖させます。大量のウイルスが作られると、感染した細胞は破裂してウイルスを放出します。それが近くの細胞に再び侵入したり、血流に乗って離れた細胞にも感染したりするのです。

そして、増殖したウイルスは鼻や喉の奥にまで入り込み、神経細胞に刺激を与え、咳やくしゃみなどを出させる。こうした症状によって無数のウイルス粒子を含んだ飛沫が体外に放出され、さらに感染が拡大していくわけです。

人々の意表をついて感染を拡げ、首尾よく集団全体に蔓延《まんえん》していく。そんな戦略を持つ、非常に扱いにくいウイルスだと言えます。

ワクチンを接種するしかない

この2年ほど、各国ともロックダウンやソーシャルディスタンシングなどの感染対策をとっていますが、それほど決定的な効果を上げていません。さらに行動規制が長く続けば経済的な代償も負うことになります。

社会としてＣＯＶＩＤ-19による死亡者をどこまで許容できるのか、という切迫した論点まで議論されるようになりました。パンデミックがいっこうに収束せず、非常に難しい決断を迫られ続けている各国首脳には同情します。

ただ一つ、現時点ではっきりしているのは、この事態を打開するために有効な対策は、ワクチン接種しかないということです。だいぶワクチンの接種率が上がってきましたが、日本やイギリスといった先進国だけでワクチン接種を進めたところで、根本的な問題は解決しません。世界全体にワクチンを十分に行き渡らせないと、意味がないのです。

オミクロン株の急速な流行拡大を見れば、それは明らかです。

２０２１年が終わるころ、欧米では2回目のワクチン接種から3回目のブースター接種に進んでいましたが、南アフリカで発見されたオミクロン株が、あっという間に蔓延して従来株と入れ替わりました。

南アフリカのようにワクチン接種の進んでいない国が一つでもあれば、そこから新しい変異株が生まれて、新たな流行の波を引き起こしてしまうのです。

自然淘汰で生まれる変異株

新型コロナウイルスについて、私が特に懸念していることは、この新たな変異株の存在です。変異株の中にはワクチンで感染を抑制できないものがあります。オミクロン株がそうでした。ワクチンを2回接種済みでも感染した例が数多くあり、３回目のブースター接種で感染が防げるかどうかも未知数です。ワクチン接種がかなり進んでいたのに、イギリスでは２０２２年１月のピーク時に、１日あたり20万人以上の新規感染者が発生しました。

これはまさにウイルスが自然淘汰《とうた》による進化を遂げて、ワクチンに対して耐性を持つ変異株が生まれているからです。ワクチンへの耐性がない従来株はこれ以上感染することができず、耐性のある変異株だけが感染を増やしていき、いずれ従来株と入れ替わっていきます。この点をわれわれは深く考えなければいけません。

オミクロン株の感染急拡大で、飲食店の営業制限や大規模イベントの開催制限など、今まで行ってきた感染防止対策を一気に解除してしまうことが、いかに危険であるか思い知らされました。すべての対策を一斉に解除して大量の感染者が発生しやすい状況に戻ってしまうと、たとえワクチン接種が進んでいたところで、ワクチンに耐性のある新しい変異株が発生・流行しやすくなるからです。

ですから、規制を一気に解除することは、分別のある選択とは言えません。この重要なポイントを政治家たちはきちんと理解していたのでしょうか。

実際、オミクロン株が発生する前の2021年7月、イギリスのジョンソン首相はマスク着用義務やイベントの人数制限などの感染防止対策を全面的に解除しました。当時もデルタ株の新規感染者が毎日何万人と出ていたにもかかわらずです。私は行動規制を徐々に解除すべきだと主張しました。段階的に解除していけば、途中で変異株などウイルスに関する新たな情報を得て対策を講じることができますが、一気に規制を撤廃してしまうと後戻りするのは困難だからです。

mRNAワクチンの利点

変異株に対して一つだけ楽観的になれる要素があるとしたら、それはメッセンジャーRNA（以下、mRNA）を使ったワクチンの存在でしょう。

mRNAは、DNAの遺伝情報の中からタンパク質をコードする配列をコピーして、タンパク質を合成するリボソームまで運ぶ役割を担っています。いわばタンパク質の設計図を届ける〝運び屋〟です。

　これを使ってドイツのビオンテック社とアメリカのモデルナ社がそれぞれワクチンを開発したのですが、本当に驚くべき早さで完成にまでこぎ着けました。誰もがワクチンができるまで数年はかかると言っていましたが、半年ほどで開発してしまいました。

　私は新薬開発の専門家ではありませんが、開発のプロセスには非常に煩雑な規制があって、とにかく時間がかかることは知っています。

ところが、ｍＲＮＡワクチンは、知識とリソースと実行する意思の三拍子が揃えば、迅速なワクチン開発が可能であることを証明したのです。私たちは新薬開発をめぐる煩雑なプロセスを、できる限り単純化できるように努力するべきです。

　このｍＲＮＡを使うタイプのワクチンにはとても素晴らしい特徴があります。ウイルスが変異しても、それに対応した新たなワクチンを開発することが非常に簡単なのです。新しい変異株が見つかったら、すぐにウイルスのスパイクタンパク質を同定して、それに対応したｍＲＮＡを作ればよいのです。

このタイプのワクチンを開発するにあたって、多大な貢献をしたのがカタリン・カリコ博士です（※第2章参照）。彼女はもともとＲＮＡの研究者で、細胞内にＲＮＡを注入して特定のタンパク質を生成させようとしていました。

　ところが外で合成したＲＮＡを細胞に入れようとすると免疫が強い拒否反応を起こしてしまいます。そこで彼女がＲＮＡを少しだけ化学的に加工してみたところ、免疫系が反応しないことを発見しました。ｍＲＮＡワクチンが実用化できたのは、この化学的修飾が秘訣だったのです。とても素晴らしい仕事でした。

　こうした新しいワクチンを効率的に生産するシステムを一刻も早く確立すべきです。それもグローバルなスケールでやらないといけません。それこそが、私たちにとってのチャレンジであり、科学の力と政治的意思によって、推し進めるべきことでしょう。

　欧米でのワクチン接種率は60％台から70％台あたりで頭打ちとなり、上昇していません。これは反ワクチン派の人々がいるからでしょう。イギリスでは反ワクチン派がそれほど多くありませんが、アメリカですとワクチンを打たないように勧めている政治家たちがいるくらいですから、話になりません。

十分な科学的根拠もないのに、厳密な臨床試験を経たワクチンの安全性や効果を批判する人々がいますが、まったく理解できません。承認された実証済みのワクチンを拒否することは、倫理的な問題であるとさえ言えます。意図的にワクチン接種を妨害するような行為は、自らと家族を感染症のリスクにさらすだけでなく、集団免疫の獲得を遅らせることだと肝に銘じるべきなのです。

科学と民主主義

また一方で、イギリスやアメリカ、そして日本のような自由で民主的な国よりも、一党独裁のような国家のほうがＣＯＶＩＤ‐19の危機にうまく対処できるのではないかという議論もあります。まさしく中国が典型的な例です。感染症のような危機に際して、民主主義という結論を出すのに時間のかかる政治システムの脆弱《ぜいじゃく》さを指摘する声さえあります。

しかし、私はそう思いません。なぜなら、世界的な危機には、科学的な知見を最大限に活用しなければ、絶対に対処できないからです。これはCOVID-19のパンデミックに限ったことではなく、気候変動や地震予知などの問題においても同じことが言えます。

すぐれた科学や正しい知識は、何が真実なのかを自由に考え、さかんに議論をかわせるオープンなコミュニティや社会でこそ獲得できるものです。独裁主義的システムで、科学はうまく機能しません。

たとえば、旧ソ連の生物学者、トロフィム・ルイセンコの場合を思い出してみればいいでしょう。

彼は後天的に獲得した性質が遺伝すると主張し、メンデルの遺伝学を否定しました。自然淘汰による進化を信じていなかったのです。それでもスターリンはルイセンコの疑似科学的な学説を支持し、農産物を増産する唯一の方法だと信じ込んだために、大量の餓死者を出してしまいました。

このように独裁者は往々にして科学的な知識をうまく活かせないのです。公共の利益に関する議論は、知識と根拠と合理的な思考によってリードされるべきであり、イデオロギーや根拠のない妄信や過激な政治思想によって捻《ね》じ曲げられてはならないのです。

生物を定義する「3つの基本原理」

ここからは、ウイルスという存在を生物学的観点から分析して、生命の謎に切り込んでみましょう。

新型コロナウイルスは世界中の人々の生活を一変させました。そんな大きな影響を及ぼすウイルスですが、実際のところは細菌よりもはるかに小さいので、その姿がとらえられたのは電子顕微鏡が発明されてからです。いまからだいたい90年前のことでした。

では、そんなにもちっぽけな存在なのに、人類文明に大きな影響を及ぼしているウイルスとは、いったい何ものなのでしょうか。

ウイルスについて議論するとき、いつも争点になるのが、果たしてウイルスは生物なのか、非生物なのか？　という謎です。

日本でも多くの読者を得た私の本『WHAT IS LIFE?　生命とは何か』にも書きましたが、生物とは何であるかを定義するにあたって、3つの基本原理があると私は考えています。

①外界との境界を持つ物理的な存在であること。

生命体は周囲の環境から自らを切り離す境界を持っている物理的な存在です。

コンピュータの中においても、あたかも生命体のように振る舞うプログラムを組み上げることは可能です。ある種のソフトウェアは自然淘汰を模倣したアルゴリズムによって最適化されています。ただし、それはコンピュータから独立した境界を持つ物理的な存在ではありません。

生命体とは外の環境と自己とを切り離す物理的な境界を持つものであり、なおかつその境界を通じて外界とコミュニケーションを取っています。

②化学的、物理的、情報的な機械であること。

生物は自らの代謝システムを構築し、そのシステムで自らを維持して成長し、再生していきます。そのシステムを動かすメカニズムは化学的なものです。その化学的なエネルギーを利用して物理的な動きに変換する分子モーターもある。代表的な例が筋肉を収縮させるミオシンなどです。

生物それ自体が主に炭素原子がつながった高分子で構築されており、ＤＮＡもその一つです。ＤＮＡは長期にわたり情報を保存し、複製することができます。その情報は強固に守られているため、１００万年も永久凍土で氷漬けになっていたマンモスからでさえＤＮＡ配列を再現できるほどです。

③自然淘汰を通じて進化する能力があること。

自然淘汰による進化が起きるためには、３つの特性が不可欠です。

第一に繁殖する能力があること。繁殖できなければ次世代が生まれません。

第二に遺伝システムを持っていることです。遺伝によってその生物の特徴が子孫に受け継がれていくことが必要です。

そして第三に、その遺伝システムにおいてランダムな変異が生じることです。変異が生まれることによって周囲の環境に応じて自然淘汰の原理が働き、生き残る種とそうでない種が決まります。偶然の遺伝子変異が生存競争においてアドバンテージとなったとき、それが進化となって引き継がれていくのです。

たとえばキリンの場合、首の骨と筋肉にたまたま変異が起きて、少しだけ高い枝に届くようになった個体が生まれたのでしょう。葉っぱをたくさん食べて栄養をとったキリンのほうが体力があり、繁殖能力にも長《た》けていたので、キリンの群れには長い首を持つ個体が増えていきました。

繁殖成功率が上がれば、そのような変異を持つ子孫が次の世代で大多数を占めるようになります。食べ物、配偶者をめぐる争い、病気や寄生虫など、いろんな自然の要因による制約を乗り越えたものが、結果として他よりも多く子孫を残せる。これが自然淘汰です。

この①から③の原理が組み合わさることで、ひとつのシステムが出来上がり、生物と呼べる存在になるのです。

ウイルスは生物か、非生物か？

では、ウイルスをこの3つの原理に照らし合わせてみると、どうなるでしょうか。

ウイルスはタンパク質で出来た殻に包まれた一片の遺伝物質（DNAやRNA）だと言えます。その点からすると外界との境界を持つ物理的な存在です（①）。

ところが、ウイルス単独では繁殖することができません。繁殖する唯一の方法は、他の生物の細胞に感染して、細胞の代謝を乗っ取ることです。

ウイルス自体には代謝システムが備わっていません。つまり、感染した細胞内では化学的、物理的、情報的な機械として振る舞うことができますが（②）、他の生物に完全に依存しているとも言えます。

他の生物に感染して増殖していくうちに、ウイルスは変異していきます。さまざまに発生した変異株のうち自然淘汰で生き残ったのが、新型コロナウイルスの場合はワクチンに耐性をもつようになったオミクロン株です。ウイルスは自然淘汰を通じて進化するということです（③）。

先に述べた3つの原理に照らし合わせると、ウイルスは宿主の細胞の中にいる間は「生きている」と言えるし、細胞の外で化学的に不活性であるときは「生きていない」とも言えるでしょう。ウイルスとは、「生物」と「非生物」の間を循環している中間的な存在なのです。

最も独立性が高い生命体とは？

ウイルスが生物であると断定できない理由の最も大きなものは、ウイルス自体では繁殖できないことです。他の生き物に感染しない限り、ウイルスは増殖できません。他の生き物に完全に依存しているのです。この一点をもってして、ウイルスは非生物であると断言する生物学者も少なくありません。

ただし、ウイルスほどではないにしても、すべての生物は他の生物に多かれ少なかれ依存しています。私たち人間も野菜や魚や肉を食べないと生きていけません。それどころか、約30兆個の細胞で出来ている私たちの体の中には、それ以上に多様かつ膨大な数の細菌とウイルスが共存して生きています。

私たちの細胞にはエネルギーを作ってくれるミトコンドリアという小器官がありますが、このミトコンドリアはもともと別個の細菌だったと考えられています。15億年ほど前に細菌が別の種類の細胞に住み始めて、いつしか定住するようになったのでしょう。こうした細菌やウイルスも合わせた集合体がヒトだと言ってもいいくらいなのです。

動物に比べると植物のほうがずっと自立しているように見えます。大気から二酸化炭素を取り込み、地中から水分を吸収し、太陽光のエネルギーを利用して、必要な分子を合成しています。それでも植物は根の周辺に存在している微生物たちに依存しています。彼らが大気中から捉える窒素がなければ育つことができないのです。

意外なことに生物の中で最も独立性が高いのは、一見原始的に思えるバクテリアです。たとえば、シアノバクテリアは太陽光からエネルギーを得て、水と窒素から化合物を生成して生きています。深海の熱水噴出孔を棲家《すみか》としている古細菌も、そこからエネルギーと化学原料を得ているので、同じように独立性が高いでしょう。

他の生物への依存度によって並べてみると、もっとも低い値のところにバクテリアが位置し、ウイルスはもっとも高い値にいます。ヒトはその中間です。そう考えますと、ウイルスを生き物に含めてもいいのかもしれません。

シュレディンガーの指摘

生きているとはどういうことだろうか？

私が一生をかけて細胞を研究しながら、ずっと考え続けてきた謎です。多くの科学者たちも答えを探し続けてきましたが、いまだに生命についての標準的な定義さえ見いだせていません。

偉大な物理学者のエルヴィン・シュレディンガーも、この謎を探究した一人です。

彼は『生命とは何か』（邦訳は岩波文庫）という本を１９４４年に出しましたが、私の本に同じ題名をつけたのは、同書へのオマージュです。

私はこの本を16歳のときに読んで、本当に感銘を受けました。自分もいつかこのような本を書いてみたいと思ったことを今でも覚えています。しかし、実際に執筆に取りかかるまでには、それから50年もかかってしまいましたが。

シュレディンガーは、生命のもつ重要な一つの側面に焦点を当てました。それは「遺伝」です。

熱力学の第2法則によれば、この世界の森羅万象は常に無秩序や混乱に向かっていくはずなのに、どうして生物は複雑な秩序と均一性を何世代にもわたって保てるのか？　その秘密は世代間で受け継がれていく遺伝に隠されているとシュレディンガーは考えたのです。

遺伝について彼はこう書いています。

「その個体の将来の発展と成熟したときの体の働きの型の全部が、一種の暗号文の形で含まれている」

生命の一つの特徴は遺伝情報を次の世代に伝える能力であり、その伝達がＤＮＡによって行われることを今日の私たちは知っていますが、当時はそこまで詳しいことはわかっていませんでした。

　そのころ遺伝子が何でできているのか、ＤＮＡなのかタンパク質なのかをめぐって論争になっていて、ちょうど１９４４年にオズワルド・エイブリーらの研究で、ＤＮＡが遺伝子の本体である可能性が極めて高いことがわかったのです。ジェームズ・ワトソンとフランシス・クリックがＤＮＡの二重らせん構造を突き止めたのは、それからずっと後の１９５３年のことでした。

　シュレディンガーは当時にあっては極めて的確に生命の核心を指摘しましたが、生命の働きを本当に説明するには未知の物理法則が必要なのかもしれないと結論づけているので、謎を完全に解き明かしたとは言えないでしょう。

　とはいえ、やはり物理学者は生物学者よりも表現の仕方が上手です。シュレディンガーが同書で述べている遺伝のメカニズムは、１９００年ごろから遺伝学者たちが議論していたことと変わりませんが、「暗号文」というキーワードを使ったことで、一般の読者には生命科学というジャンルが一気に見晴らせたような感覚を与えたことでしょう。

なぜ『生命とは何か』を書いたのか

私は初めての本を書く前に、書店に足を運んでポピュラーサイエンスの棚を観察しました。すると、重力や量子力学など物理に関する本が多く、そうした本の多くは、偉大なひらめきや宇宙を支配する統一理論について書かれていました。物理学者はシンプルで明快な解のエレガントさに惹かれがちな人たちですから。

実を言うと私の娘は欧州原子核研究機構（ＣＥＲＮ）で高エネルギーを研究する物理学者なので、私もその分野について多少は知っています。非常にエキサイティングで面白いジャンルです。

同じ棚で生物学や生物医学の本を探してみると、単純明快な理論や統一的な考え方を打ち出したものが非常に少なかったのです。ある意味、生物学者は物理学者とは正反対の種族だと言えましょう。生物学者は、ある地域に生息する種をリストアップしたり、いろんな細胞を培養して遺伝子を解析したりする職業なので、自然界の複雑さや多様性に圧倒されることが多い。それで、シンプルで明晰な理論を口にするのをためらいがちになるのかもしれません。

だからこそ、私は一般読者のためにシンプルな本を書こうと思ったのです。生物学の研究において、すでに明らかになっているブレイクスルーをわかりやすく説明することにしました。バイオロジー研究の世界は日進月歩ですが、私の本をもし30年後に読み返したとしても、時の試練に耐えて有益であることに変わりありません。

生物学や科学について専門的な訓練を受けていない一般読者に向けてわかりやすく書くのは、とても大変な作業で何度も何度も書き直しました。私はいまも現役の研究者であり、大きな研究所の所長もしています。執筆する時間を捻出するのにも苦労しました。

生命を5段階で理解する

本を書く苦労話はここまでにして、生命とは何かという謎に戻りましょう。

この謎を解くには、遺伝だけでは足りません。遺伝を含めて5段階のアプローチが不可欠だと私は考えています。これは私一人が見つけたものではなく、生物学者たちが長年研究してきた結果、たどりついた考え方です。この5段階のステップを経て、ようやく生命の「統一理論」の入り口に立てるというわけです。

5つのアプローチとは次の通りです。

①細胞
②遺伝子
③自然淘汰による進化
④化学としての生命

⑤情報としての生命

どんな生物も細胞からできていますが、細胞はレゴのブロックとは異なり、一つひとつが生命体です。そしてすべての細胞の中に遺伝を司るDNAがあり、生物は自然淘汰によって進化します。そして生命の代謝活動はほとんど化学的なメカニズムで行われ、細胞内と細胞間では情報の伝達が行われています。

この5つのステップを凝縮したものが、先に紹介しました「3つの基本原理」なのです。生物は生殖し、遺伝システムを持ち、そのシステムが変異をもたらすことで、進化していきます。その遺伝子変異が周囲の環境によりよく適合するものであれば、結果的に子孫が繁栄していく。このシステムこそが生命の定義だと言えます。

人為淘汰という品種改良

自然淘汰ではなく、人が意図的に新たな種を作り出すことを「人為淘汰」と呼びます。私たちは何千年にもわたり自然淘汰のプロセスを真似して、特定の性質をもつ個体を交配させて品種改良してきました。

野生のハイイロオオカミを飼いならして、とても小さいチワワから体重が90キロにも及ぶセントバーナードに至るまで、さまざまな犬種を作り出しました。野生のアブラナ科の植物からは、キャベツ、ブロッコリー、カリフラワー、白菜、大根など、味も形もまったく違う野菜を生み出しました。

自然淘汰による進化は何十万年、何百万年もかかりますが、人為的な交配を重ねることによって、人間は自分たちにとって都合の良いものを短期間で得てきたのです。

ゲノム編集という人為淘汰

人為淘汰どころか、現在では遺伝子そのものを操作することさえ可能になりました。２０２０年にノーベル化学賞を受賞したジェニファー・ダウドナ博士とエマニュエル・シャルパンティエ博士によって開発されたゲノム編集技術です。

CRISPR-Cas9（クリスパー・キャス・ナイン）という、酵素をハサミのように使う技術で、遺伝子配列を切り貼りできるようになったのです。

実は酵母菌のような単純な生物のゲノムを編集することは、１９８０年代から可能でした。しかし、人間の遺伝子を切り貼りするなど、この技術では不可能でした。

一方、CRISPR-Cas9を使った方法では、ＤＮＡ配列を編集する精度とスピードが格段に向上し、人間を含めた多くの種でゲノムを編集することが可能になりました。

技術的にはヒトの受精卵の遺伝子を編集して、デザイナー・ベイビーを産むことも不可能ではありません。この点についてジャーナリストから問われると、ダウドナ博士はこう答えたそうです。

「ヒトの受精卵をゲノム編集するリスクは切迫しています。おそらくある時点で、私たちはこの技術を人類に対して使うでしょう。それを止めようとするよりは、できうる限り責任を果たせる形で使われるように準備しておくべきです。すでに発展したテクノロジーを後退させることはできません。ゲノム編集という技術は、私たち人類が直面している問題を解決できるテクノロジーとしての可能性を秘めています。だからこそ、私たちは責任を持てるような発展を望みたいです」

私も当面はヒトの初期胚細胞をゲノム編集しようとする試みは無謀だと思います。現時点では「責任を持てる」やり方など不可能だからです。私たちはゲノム編集の安全性についてまだ十分に理解していません。

ゲノム編集は、生まれてくる赤ちゃんだけでなく、その子孫の細胞の遺伝子も変えてしまうわけです。狙い通りの遺伝子を改変できたとしても、他の遺伝子まで改変してはいないか、わからないのです。

CRISPR-Cas9を使ったゲノム編集は非常にパワフルなテクノロジーで、ほとんどの場合うまくいきます。ところが、その技術をヒトに適用するときには、たった1回の失敗さえ許されないのです。絶対的な自信を持つためには、我々はまだゲノムそのものへの理解が足りないでしょう。

狙いを定めた遺伝子配列を編集できたとしても、その変異によって想定外の副次的な影響が出る可能性を否定できません。潜在的な危険性は常にはらんでいます。

技術的な安全性が確立したとしても、何をどうすれば「責任を持てる」形でゲノム編集をヒトに適用できるのか、一般市民と議論して理解を得なければなりません。そこで拒否感や抵抗があるようなら、前に進めることはできません。

ゲノム編集が容認されるケース

これは個人的な考えですが、単一の遺伝子変異が原因だと判明している病気の場合はゲノム編集を認めてもよいのではないかと思います。信仰上の理由などでヒトの遺伝子に手を加えることは絶対に受け入れられないと考える人たちもいますが、私はその中には入りません。

受精卵の段階でゲノム編集をすることで、後々にがんのような病気にならないのであれば、それは多くの人にとっては論争にならず、いずれ受け入れられていくのではないでしょうか。

遺伝子に手を加えること自体が、意図しない結果を引き起こす可能性があり、取り返しのつかないことだと主張する人々もいます。たとえば、遺伝子組み換え作物を否定するような人たちです。

それについて、私ならこう答えます。1万年も前から私たちが行ってきた麦などの品種改良と、遺伝子組み換えは、いったいどこがどう違うのでしょうか、と。遺伝子組み換え作物が、ランダムに突然変異した作物よりも危険である根拠は、科学的に考える限り、どこをどう探しても存在しないのです。

科学は〝暫定的な知識〟

ただし、科学的根拠があるからといって、科学者は傲慢《ごうまん》に振る舞うべきではありません。たとえば学校で教えるニュートンの万有引力の法則などは、何百年にもわたって膨大な検証を経た真実ですが、科学でわかっていることのほとんどは、現在も発展中であり、〝暫定的な知識〟（tentative knowledge）だと私は説明しています。

新しいウイルスが見つかったとき、一般の人々は専門の科学者であればそのウイルスについて何でも知っていると思うようです。ところが、科学者にとっても初めてのウイルスですから、似たウイルスから推測することはできても、詳しく研究してみないと何もわかりません。

私のような現役の研究者であれば、科学者が霧深い山中でさまよう登山者のような状態であることを知っています。しかし、研究室に来たばかりの大学院生ですと、科学には明確な答えがあるものだと思いこんでいます。

つまり、科学とは暫定的な知識の積み重ねであり、何度も何度も実験や検証をして、ようやく真実に到達できるものなのです。科学が対応しなければならない問題は、往々にしてまだ解答が見つかっていないものです。

自分たちがいかに何も知らないかを直視する必要があります。それを踏まえた上で、科学者たちは自分たちの知識を、気候変動問題への対処などのような公共の利益に資する目的のために活用していくことが重要でしょう。

第4章

コロナ後の働き方はハイブリッドワーク

リンダ・グラットン

ロンドン・ビジネススクールの教授、リンダ・グラットン氏（67）は人生１００年時代における新たな働き方の提唱者であり、人材論・組織論における世界的権威として知られる。

彼女の著書である『ワーク・シフト』（邦訳はプレジデント社）や、同僚であるアンドリュー・スコット教授との共著『ライフ・シフト』（邦訳は東洋経済新報社）は日本でも大ベストセラーとなった。２０２０年には『ライフ・シフト』の続編となる『ライフ・シフト2』（同前）を出版し、こちらも好評を博している。

そして、２０２２年の3月にも、イギリスで『Redesigning Work』という新刊を上梓するなど、ますます旺盛な仕事ぶりを見せている。邦訳の刊行も決定しているという本書は、「仕事を再設計する」というタイトルにあるように、コロナ禍によって人々の働き方や生き方に大きな変化が生じている現在、われわれがよりよく幸せに生きるためのヒントが書かれているという。

前回の小社刊『コロナ後の世界』では、ロックダウンのさなかだった2020年の初夏、グラットン教授に「ニューノーマル」（新しい生活規範）について語ってもらった。

そしてこの度は、新型コロナウイルスと2年以上も相対してきた私たちは、今後どのようなライフスタイルを築いていくべきなのか、働き方と人生の豊かさの関係について説いてもらった。

リモートワークはニューノーマルか

2020年初頭から、私たちは新型コロナウイルスの感染拡大と向き合い続けてきました。先進国の多くでは、自宅でのリモートワークがごく日常の風景になりました。それは日本でも同じでしょう。

伝統的に勤勉さや集団的規範をとても重んじる日本では、在宅勤務のようなフレキシブルで新しい働き方について、とくに管理職や経営陣の多くが根強い抵抗感をもっていましたが、そんな古臭い考え方をＣＯＶＩＤ-19の猛威が一気に吹き飛ばしてしまったようです。

私はこの10年ほど、「働き方の未来コンソーシアム」を主宰しています。そこでは世界のさまざまな企業から人が集まって、新たな変化について自らの経験を語り合う場を設けているのですが、日本の企業からも彼らの新しい試みについて直接聞く機会がありました。

たとえば、富士通は２０２０年の夏に、オフィスで働く社員のほぼすべてにあたる約8万人を、在宅勤務に移行させせました。それもわずかな期間のうちにです。

人事部門のトップは当時、私にこう語りました。

「もう後戻りすることはありません。全員がオフィスに毎日出勤する時代に戻ることはありえない。これまで社員は通勤で毎日2時間を無駄にしていました。その時間を学習や研修、家族との時間に費やせるようになったのです。いま考える必要があるのは、職業人生を生産的で創造的なものにする方法です。リモートワークをうまく機能させるためのさまざまな方法論が求められています」

この試みは世界でも先進的な部類に入ると思いますが、日本の大企業がこうした動きをみせることによって、社会的な変革を促進させる効果があります。一つの企業がイノベーターになると、他の企業も追随するようになるのです。

いまや多くの人が在宅勤務のメリットを享受し、オフィスで働かなくても、生産性が下がらないことに気づきました。この経験はコロナ禍という惨事にあって、不幸中の幸いと言ってもいいくらい、私たちにとってポジティブな経験となりました。

ただ、週5日の完全在宅勤務がニューノーマルになったかというと、そうではありません。日本では感染状況が落ち着いた2021年の秋ごろから、オフィスに出勤する人々が増えたと聞きますし、イギリスでも完全リモートを達成している企業はそうありません。

これからは在宅勤務＋オフィス勤務

これからのフレキシブルな働き方の現実的なイメージは、ハイブリッドワーク、すなわち在宅勤務とオフィス勤務を組み合わせたハイブリッド型のワークスタイルです。人によって日数の違いはあっても、多くの人が在宅勤務の経験をしたいま、こんな疑問を抱いているはずです。

「毎日往復2時間もかけて満員電車で通勤する意味があるのだろうか？」

完全在宅勤務にすることは不可能だとしても、以前と同じように週5日出社する状態に戻りたいと多くの人は思っていないでしょう。戻りたい人がいるとすれば、超高額の報酬を得ている投資銀行マンくらいのものです。

実際のところ週に何日かであれば、どの産業セクターでも在宅勤務が可能だという調査結果もありますし、週3日程度の在宅勤務が標準的だと言われています。

人間は集まることが好きな動物ですが、四六時中ずっと一緒にいたいと思っているわけではありません。ですから週に2、3日くらいだと、良いバランスを保てるのではないでしょうか。

また先ほど紹介した富士通では、「サテライトオフィス」というアイデアも検討されています。都心の本社まで時間をかけて出社するのではなく、週に2、3日は自宅の近くにあるサテライトオフィスに出社するという案です。これだと通勤時間の短縮もできるので、より柔軟性のある勤務形態を実現できます。

監視しても生産性は上がらない

リモートワークが増えたために、社員がきちんと働いているか、監視のようなことをしている企業もあります。パソコンのログイン記録や、ブラウザの閲覧履歴などをチェックしているようですが、働いている側とすれば勘弁してほしいと思っていることでしょう。

こうした企業風土を改善するには、社員を信頼することと、生産性を基準にした評価尺度を導入することが重要でしょう。

社員たちのパフォーマンスを管理したいという経営陣側の気持ちもわからなくはないですが、監視していては、社員に「会社はお前のことを信用していないぞ」と面と向かって言っているようなものです。

人を雇用するとき、この人は怠け者かもしれないから信頼ならないという態度でいるよりも、本当に信頼できない人間だと証明されるまでは、いい仕事をしたいと思っている信頼すべき社員であるとの前提に立つべきです。そうしないと信頼関係が築けず、社員の生産性を最大限に引き出すことはできません。

とくに日本では社員のパフォーマンスを計るのに、きちんと出社しているか、さぼらずに8時間オフィスにいるか、といった管理主義的な尺度で判断しがちです。会社に献身的であること、そうした姿をみせることが、美徳とされてきました。

しかしながら、それが生産性を下げる要因となっていることは明らかです。何時間働いたかではなく、どんな成果を上げたかで評価するのは当然のことです。

柔軟な働き方がもたらすメリット

柔軟な働き方はコロナ禍をしのぐための一過性のものであってはなりません。共稼ぎで子育てをしている家庭に大きなメリットをもたらします。

週に3日ほど在宅で勤務できるようになれば、今よりも家事や子育てを夫婦で分担しあうことが可能になります。リモートワークする日を互いにうまく調整することができれば、なお良いでしょう。

日本ですと、夫婦がともにフルタイムで働いている家庭で、比較的うまくいっているケースは、近くに妻か夫の両親が住んでいて、孫たちの世話を祖父母がある程度やってくれる状況にあることが多いようです。とはいえ、こうしたケースは少数派でしょう。誰もが両親の協力を得られるわけではありません。

イギリスの場合、多くの人はデイケアセンター（保育所）に子どもを預けています。収入が非常に多い共稼ぎ家庭では、住み込みのベビーシッターを雇っていることもあります。多くは移民がそうしたナニー職を担っていますが、とても高額ですので、一般的ではありません。

会社によっては社内にデイケアセンターを併設しているところもあります。しかし、電車で通勤する人が大多数の日本では、あまり適さないでしょう。まだ1歳に満たない乳児を抱いて満員電車に乗りたいと思う人はいません。

スウェーデンやデンマークのように、ワーキング・マザーとワーキング・ファザーたちが、ほぼ同等に家事や育児を行っている国もありますが、まだまだ一般的ではありません。

とくに男性たちが育児に積極的に関わるためには、企業の慣行が大きく変わる必要があります。日本の場合は若い父親たちが育児休業を取得して、子育てに参加するようにすべきです。そうすれば父親と子どもたちとの関係が良くなり、夫婦関係も円滑になって離婚率が下がることがわかっています。

企業側もマインドセットの変革を

さらに、企業側もマインドセットを変えることが求められています。

企業として柔軟な働き方を受け入れづらいのは、同じ人物が長期にわたって同じ業務を担当していることが多いからです。つまり、ほかの働き手で業務を代替するのが難しいのです。

これを改善するには、2人で役割を分担する必要があります。実際に、イギリスの研究では複数で役割分担をしたほうが、生産性が3割ほど向上するというデータもあります。燃え尽き症候群になることを防げますし、一休みする余裕があると、モチベーションが大きく回復するからです。

さらに、役割分担する相手がいることで、学びの機会を得られること、お互いに協力して成果を上げようと考えることが、生産性の向上に寄与しているようです。

柔軟性のある働き方を取り入れても、生産性が落ち込むとは限らないことは、いろんな調査で明らかになっています。柔軟な働き方をした社員は、多くの場合、そうでない社員よりも生産性が高まり、離職率も低かったのです。

こうした調査結果を受けて、世界的な企業のユニリーバは、新しい人事制度を導入して、働く場所と時間を社員が自由に選べるようにするなど、柔軟な働き方を支援する取り組みを進めてきました。また、正社員と契約社員の中間的なポジションを設けました。「U-Work」という雇用モデルです。任務ごとの報酬が基本ですが、月額の固定報酬もありますし、健康保険も提供されます。かなりフレキシブルな勤務形態なので、半年勤務したあとで世界一周旅行にでかけた社員もいるくらいです。

少子化が相当に進んだ日本においては、若い世代の社員を確保することがますます重要になってきます。そうした状況の中で柔軟な働き方を提供しようとしない企業は、若い働き手を採用することが困難になってきます。

手っ取り早く働き手を獲得するには、高い報酬を用意することです。しかし、ほとんどの企業はいま以上に賃金を増やす余裕がないでしょう。だからこそ、フレキシブルな働き方を提供すべきですし、政府もそうした変革を支援すべきです。

人生のステージを再編成する

これまで平均寿命が70〜80歳だったころ、人生は3つのステージで成り立っていました。すなわち、①教育を受ける年代、②仕事をする年代、③引退後の年代です。

小学校から大学まで学んで知識を身につけ、20代で大学を卒業したらフルタイムで働き、30代前後には結婚もして家庭を築く。60代で定年を迎えたらリタイア後の生活を悠々自適に楽しむ。これが人生の標準的なスタイルでした。自分がどの年代であるかによって、どの人生のステージにいるか、誰にも明確でした。

ところが、少子高齢化と晩婚化が進んだ結果、第2ステージにおいて要求されることが過大になってきました。就職してキャリアを築きつつ、結婚して子育てをしながら、親の介護までしなければなりません。この時期に人生の幸福度が最も落ち込む人が多いという研究結果もあります。育児、仕事、介護という3つの重荷を背負っていれば、無理もないことでしょう。

ですが今後は、3ステージ制の画一的な生き方は少数派となっていくはずです。コロナ禍をきっかけとして多くの人が柔軟な働き方のメリットを知り、自分にとってふさわしい働き方を模索していくでしょうし、それによって人生のステージの順序やあり方も一人ひとりにとって変わってきます。私たちの人生はマルチステージ化せざるをえないのです。

マルチステージの人生を考えると、非常に重要になってくるのが生涯にわたって学ぶことです。還暦を過ぎてからでも新しいスキルを学ぶことはできます。そのスキルも仕事に関わることばかりではありません。

コロナ禍の影響で日本でも自分からスキルを磨こうとする人が増えました。あるオンライン教育機関によると、中国、イタリア、日本の受講者がそれまでの4倍にもなったそうです。バーチャルな授業であっても、受講者同士で活発な情報交換がなされています。

かつてのように人生は単線ではありえません。マルチステージに向けて、多くの人が自分の未来に投資をする意識を強めています。デジタルスキルを習得したり、オンライン学習を始めたり、生涯にわたって何かを学ぶことが大切です。

こうした学び続けられる環境を、企業側で提供することも考えなければいけません。なぜならこれからの働き手は、何という企業で働くかということよりも、そこで何を学べるのかを重視して働く場所を選ぶようになるからです。

年齢は可変性のある概念

生涯にわたって学び続けるというと、すこし気が重くなる人たちもいるかもしれません。もし、あなたがいま55歳で定年まで10年を残すだけだとしたら、いま新しいスキルを習得しようとしても、それほどの恩恵が得られないかもしれません。ただし、そのスキルを習得すれば75歳まで働けるとしたらどうでしょうか。明らかに未来に投資する意味があります。

高齢化・長寿化が進んだ現在、「年齢」という概念自体を捉え直さなければなりません。平均寿命が長くなり、健康寿命も延びているのですから、40歳、60歳、80歳という年代の持つ意味が、以前とは大きく変わっているはずです。

単に年齢といっても、多様な側面をもつ概念なのです。「いま何歳ですか？」と訊かれたら、子どもでも答えられますが、それはあくまでも出生してから何年たったかという「暦年齢」でしかありません。同じ暦年齢であっても、次のような側面から見ると、人によって違いのあることがわかるでしょう。

- 生物学的年齢＝肉体がどれくらい若いか
- 社会的年齢＝社会でどのように扱われているか
- 主観的年齢＝自分がどのくらい若い、または老いていると感じているか

つまり、年齢とは絶対的な基準ではなく、もっと可変性のある概念なのです。

年齢の持つ意味は時代によっても変化します。平均寿命が延びることでも、かなり変わってきます。たとえば、100年前のイギリスにおける65歳の死亡率は、現在の水準でみると78歳に相当します。当時は65歳が公的年金の受給開始年齢でしたから、

現在は78歳以上を高齢者に分類すべきなのかもしれません。

最近ではひとくちに高齢者といっても、いくつかに区分する動きもあります。その一例によれば、60代が初老者（ヤング・オールド）、70代が高齢者（オールド・オールド）、80歳以上は超高齢者（オールデスト・オールド）となります。

入社年齢の多様化を

年齢に対する認識は企業側でも改めるべきです。50代、60代の社員は若い社員よりも生産性が低く、新しいことを学びたがらないと企業側は思い込んでいますが、本当に根拠があるのでしょうか。

実はアメリカのデータを見ると、意外なことに50代のほうが30歳以下の若い世代よりも多く起業しています。成功率も50代のほうが高いのです。若い世代よりも社会経験が豊かなので、成功しやすいのでしょう。

人生の3ステージというモデルは、実は企業の人事制度にも密接に関係しています。

大学（院）を卒業した若者たちは、若手社員として実地トレーニングをうけ、30代前後で昇進していき、40代、50代前半までに出世の階段を登っていく。そして60歳が見えてくる頃になると、キャリアの終点にさしかかり、退職の日を迎えるのです。

このプロセスは人生の3ステージとまったく同様に、年齢とステージがシンクロしています。こうすることで企業の人事は年齢を基準にしたシンプルなものになっています。

ところが、人々がマルチステージで生きようとする時代において、こうした人事制度は破綻をきたしてくるでしょう。

ほとんどの企業は、20代前半の新卒の若者の採用には熱心ですが、それ以降となると門戸を閉ざしています。それはなぜでしょうか。

まだ社会経験のない新卒者を学業成績や入社試験で均一的に選考するほうが、企業の人事部にとっては容易だからです。年齢を重ねて多様な経験を積み、他の業種で働いてきたような人材のスキルや適性をきちんと評価することは、それに比べてはるかに複雑で面倒な作業です。

しかし、前にも述べたように企業はこれからますます若い人材の確保に苦労するようになります。ですから、いつまでも新卒一括採用にこだわらず、入社年齢を多様化させるべきでしょう。これは人材の多様化につながり、働き手の人生をマルチステージ化することも促進します。

マルチステージの人生では、キャリアは直線的なものではなくなり、フルタイムで働く時期もあれば、長期休暇でリフレッシュする時期もあります。もちろんスキルを習得する時期もあるでしょう。

企業としてもせっかく採用した優秀な人材を失うくらいであれば、社員が柔軟に働き方を選択し、生産性を高めることをサポートしたほうが良いはずです。採用においても働き方においても、企業のほうから柔軟性を示すことで、優秀な人材を確保することにつながり、マルチステージの人生に魅力を感じている若い世代の獲得に役立つはずです。

また、企業のみならず親の世代も意識の変革が必要だと思います。日本で20代、30代の若者と話すと、彼らの親は子どもたちに早く大企業に就職してほしいと願っているそうです。その気持ちもわからないではありませんが、親が子どもにできるのは長い人生を幸せに暮らしていけるように準備をサポートすることです。大企業への就職を急《せ》かすのではなく、もっと長い目で見て、彼らがマルチステージの人生を築いていけるように、見守ってあげるべきでしょう。

日本のビジネスシーンの特徴は、起業する割合が非常に低いことです。先進国においてとりわけ低く、リスクを回避する傾向が強いです。そこに親世代の大企業志向が表れているように思います。むしろ、ベンチャーキャピタルや金融市場のあり方を改善して、若い人たちが起業しやすいように奨励すべきです。

お金と健康の関係

日本では高齢化が進み、平均寿命もいまだに延び続けています。そこで懸念されるのが老後に必要となるお金でしょう。老後の資金を貯めるために寸暇《すんか》を惜しんで働けば健康を害することもあるでしょうし、健康を維持しようと思えばお金も必要です。

賢明な選択は、少なくとも70歳まで働くことです。この低金利の時代に貯金をして老後資金を築くことは非常に難しいからです。収入の２、３割を貯蓄にまわしても大丈夫なくらい稼ぐよりも、働き続けることのメリットのほうが大きいでしょう。

働き続けることが健康長寿につながることを示唆《しさ》するデータもあります。

アメリカで１９９２年から２０１０年に引退した約３０００人を対象に調査した研究結果があります。引退した年齢（65歳、67歳、70歳、72歳）ごとに死亡率の推移を調べたところ、引退年齢が高い人ほど、長生きする傾向が見られたのです。

またイギリスではいったん引退した人たちが仕事に復帰することが多くなっています。65歳で引退した人たちの４人に１人が、引退後５年のうちに再び働き始めているのです。

引退してからの現役復帰は、３ステージ制の人生からの脱却であり、彼らはマルチステージ化の開拓者と言えるかもしれません。

お金と幸福の関係

では、お金があれば幸せになれるのでしょうか？　この点についてはノーベル経済学賞を受賞したアンガス・ディートンとダニエル・カーネマンがアメリカ人を対象として行った大規模な調査がよく知られています。

この調査結果によると、年間所得が７万５０００ドルを超えると、所得がそれ以上増えても幸福感は高まらないそうです。これをもってして、裕福だからといって幸福だとは限らない、と結論づける人が多いです。

ただし、この調査をよく見ると、裕福な人ほど概して生きがいを感じていることがわかるのです。そしてディートンとカーネマンは、次のように結論づけています。

「所得が高いと、人生の充実感は高まるが、日々の幸福感は高まらない。一方、所得が低い人は、人生の充実感が低く、情緒的な幸福感も低い」

要するに、お金がたくさんあるからといって幸せになれるとは限らないが、お金を持っていることは人生において重要な要素であるということでしょう。

人生全体を通じた幸福感と満足感を調査した研究を見ると、お金ではない、もう一つの重要な要素があることがわかります。

ハーバード大学医学大学院で行われた研究で、１９３９年から１９４４年にハーバード大学を卒業した２６８人を75年間にわたって追跡調査したものです。のちに調査対象としてボストンのスラム地区で暮らす貧困層の若者も加えられました。

結果として、裕福な人ほど幸福感が高い傾向がありました。

ただし、人生に満足して幸福に生きるために、最も重要な要素はお金ではないことがわかりました。その人の人生が幸せであるか否かを左右する最も大きな要素とは、「温かい人間関係」だったのです。

その人間関係とは家族の間だけに限りません。他の人と親愛のあるつながりを保つことは、人生をよきものとして生きるために必要不可欠であり、困難を乗り越えるためにも必要なのです。

他の誰かと一緒の時間を過ごすこと。それこそが人生において充足感をもたらしてくれるものですが、今回のパンデミックはそうした機会を奪いました。その一方で、柔軟な働き方をすることで家族と一緒に過ごす時間を増やすことができた人たちもいます。

ポスト・コロナの時代は、いかに誰かと一緒に人生を過ごすかを考えながら、働き方と生き方を模索するときなのだと言えるでしょう。

第５章

未来の都市は「第三の場所」を求める

リチャード・フロリダ

現在、トロント大学ロットマン・スクール・オブ・マネジメント教授で、同スクールのマーティン・プロスペリティ研究所の所長も務めるリチャード・フロリダ氏（64）は、世界で最も有名な都市経済学者だ。

２００２年に発表した『クリエイティブ資本論　新たな経済階級の台頭』（邦訳はダイヤモンド社）がアメリカでベストセラーになり、15カ国以上で翻訳された。

同書でフロリダ教授は、学者、コンピュータ技術者、アーティスト、ミュージシャン、デザイナーなど知的労働者層を「クリエイティブ・クラス」と呼び、彼らが先進国で増えている実態を指摘した。所得水準も高いクリエイティブ・クラスが、自分の能力が生かせる、または暮らしたい環境を選んで移動していくため、彼らの集まる地域とそうでない地域の間で経済格差が拡大していると分析し、新しい都市分析として一躍注目されたのだ。

では、コロナ禍によって急速に普及したリモートワークは、「都市」や「仕事」、そして「人と人のつながり」をどのように変えたのだろうか。フロリダ氏が、その変化によって生まれようとしている「第三の場所」のあり方を示す。

「コロナクレイジー」

新型コロナウイルスは社会にさまざまな影響を及ぼしていますが、そのなかでもサプライズは、リモートワークが爆発的に普及したことです。パンデミックの結果生じた最大の変化の一つと言えるでしょう。

私は実を言うと、２０２０年3月までＺｏｏｍが何であるかを知りませんでした。しかし、今ではＺｏｏｍが大好きです。リモートでインタビューができることをとても気に入っています。

別々の場所にいながら、相互にやり取りできるのは電話よりもはるかにいい。もちろん実際に顔を合わせてコーヒーを飲みながら話すのがベストですが、リモートはセカンドベストです。Ｚｏｏｍはすばらしいテクノロジーと言えます。

新型コロナウイルス感染症（以下、ＣＯＶＩＤ‐19）が流行する以前から、リモートワークが人々やオフィス街に影響を及ぼすことはわかっていました。しかし、具体的にどのようなものになるかは、きちんとは考え抜いていなかったかもしれません。

私は昔から日本びいきで、東京には何度も滞在していますし、主要な都市ならほとんど訪問しています。このパンデミックになってからは訪日できていませんが、日本では孤独感を抱えた人が急増し、特に女性の自殺者が増加していると聞いています。

私は精神衛生の専門家ではありませんが、これには、リモートワークやソーシャルディスタンシングなどによって、人の精神にとって何か重要なものが失われてしまったことが関係しているのではないでしょうか。

ひとつ言えるのは、人々が孤立感を深めていることについて、精神衛生の専門家たちがサポートするなど、私たちは十分な措置を講じてこなかったということです。

アメリカでは、人々の精神状態においてマイナス面も出てきています。私が「都会の無秩序の増加」と呼ぶ現象です。殺人などの凶悪犯罪ではなく、公園や飛行機の機内など他人と隣り合う場で、些《さ》細《さい》な言い争いやケンカが増加しているのです。

私がインタビューしたある市長は、これを「コロナクレイジー」と呼んでいました。ロックダウンが長く続いた影響で、社会的な調和が欠如し、孤立感を深める人々が増加し、自殺から精神疾患に至るまで、さまざまなマイナス面が生じているのです。

我々はCOVID-19を恐れるあまり、公衆衛生を守ることを強調し過ぎたのではないでしょうか。その姿勢が精神的にマイナスの影響をもたらしているように思います。

スウェーデン・モデルの真の狙い

個人的な意見ですが、私はCOVID-19の流行初期から、対処法としてはスウェーデン・モデルが正しいのではないかと思っていました。スウェーデンは強力なロックダウン措置を採らず、マスク着用も個人の判断に委《ゆだ》ねるなど、感染予防対策は最小限に抑えて、社会を機能させ続けることを最優先しました。

スウェーデンの公衆衛生の専門家のインタビューを見ても、こうした施策の目的について、「社会を平常な状態に保つことで、人々のメンタルヘルスを正常に維持することが目的です。特に子どものメンタルヘルスを正常に保つことが重要です」と言っていました。

スウェーデン・モデルを批判する人は、「高齢者を守らなかった。移民が多く住む地域を守らなかった。最大限の仕事をしなかった」と言うでしょう。しかし、スウェーデンが重きを置いていたのは「若者」と「子ども」なのです。

私には4歳と6歳の子どもがいます。このパンデミックが始まってから、フロリダに移りました。マイアミビーチのマンションで暮らしているのですが、行動規制がそれほど厳しくありません。おかげで子どもたちは毎日学校に通って、以前と同様の生活を送っています。

私は自分や家族の感染リスクを自分自身でコントロールできる場所にいたかったのです。そのために生活上のリスクを最小限にしました。きちんとワクチンを接種し、Ｚｏｏｍで仕事をしていました。子どもたちは学校に行って運動場で遊んでいましたが、生活していて、とても安全に感じました。ですから、ワクチン接種を除けば、子どもたちにはパンデミックの記憶は残らないかもしれません。

都市とは人々がつながるための場所

いまアメリカではアメリカンフットボール、野球、パーティ、レストランなど、すべてのものが以前の状態に戻ってきました。私はマンハッタンのソーホー／トライベッカ地域が好きで、ニューヨーク大学の客員教授時代にはその界隈《かいわい》に住んでいました。２０２１年７月にミッドタウンに行ったとき、レストランの予約が取れないほどで、レストランやバーに大行列ができていました。

その光景を見て、私は大都市の中心部の真の機能は、仕事をするオフィスではなく、人と人とのつながりの場であることだと痛感しました。

その一方で、戻ってきていない唯一のものが、オフィスで仕事をすることです。ニューヨーク市の状況を調べた報告書によると、オフィスに戻ってきた社員の割合が、

20％にも満たないというのです。今までのやり方だと、どうもうまく回らない要素があるようです。ネックとなっているのが通勤なのか、それともオフィスのあり方なのか、具体的な要因はわかりません。

こうして見てみると、都市は人と人がつながるための場所として機能しているのであり、クリエイティブ・クラスのような知的労働者が働くために集まっているという分析は、一面的であったと言えそうです。

若い世代にはオフィスが必要

ただし、例外はあります。

まず、若い世代にとってオフィスは重要な意味があります。キャリアを歩み始めたばかりの新人は、多くの人に直接会って、ネットワーク（人脈）を作りたいと思っています。彼らは子どももいないし、郊外に広い部屋を借りられるほど経済的な余裕がありません。だから、若い世代が多く働いているアメリカのテクノロジー企業は、大都市に新しいビルを建てています。

15年前にニュージーランドのウェリントンに行って、「ロード・オブ・ザ・リング」を製作した映画監督のピーター・ジャクソンに会ったことがあります。その時、私が書いた『クリエイティブ・クラスの世紀』（邦訳はダイヤモンド社）を見せたところ、ピーターは家の横に作った美しいスタジオを案内しながら、私にこう言いました。

「私は成功したから、ここで仕事ができるようになりました。でも、若いときはハリウッドに行かざるを得なかった。プロフェッショナルなネットワークを築いて、キャリアを積むためには、そうするしかなかったのです。でも、『ロード・オブ・ザ・リング』で大成功したとたん、母国のウェリントンに引っ越すことができました」

この発言はとても重要なことを物語っていると思います。

誰でも新人時代からリモートワーカーになれるわけではないということです。繰り返しになりますが、若いときには人と実際に会って、プロフェッショナルなネットワークを築かないとなりません。キャリアを重ねて専門的能力を身につけ、そのスキルに対する需要が出てくることで、自分の影響力が強くなるのです。そうすると、リモートワークができるようになります。

ですから、能力のある人がどれくらいの影響力を持っているかによって、リモートワークのできる度合いが変わってくるでしょう。

たとえば、グーグルのような先進的なテック企業でも、社員たちがオフィスに完全復帰するように奨励しています。在宅とオフィスを組み合わせた勤務形態を一部の社員には認めていますが、それだけの能力やスキルのある社員に限って、ハイブリッド型の勤務形態を認めているということです。

コワーキング・スペース

もう一つアメリカで起きていることは、新しい種類のオフィスの出現です。ウィーワークやノイエハウスといったシェアオフィスを運営する企業が、コワーキング・スペースの建設を進めています。シェアオフィス自体は1990年代後半にトレンドが起きましたが、今のコワーキング・スペースは、異なる企業に属する人たちが一つのスペースを共用するスタイルであり、交流するための場を設けているのが特徴です。オフィス機能とホスピタリティ機能のスペースが融合されているのです。

あるとき妻と一緒にマンハッタンに行って、ノイエハウスが運営するオフィスを見学してみました。そのコワーキング・スペースは、まさにクリエイティブ・クラスの人たちが仕事をするための場所に見えました。空間の開けた場所にコーヒーメーカーが設置され、そこで人々が社交的に行動している。

思わずヒジで妻をつついて、こう冗談を言いました。

「見てごらん。これがまさに、私が本で書いたとおりのクリエイティブ・クラスのリアルな建物だよ」

本を書いたころには、まさか実際にこんな景色を目の当たりにするとは思っていませんでした。

さらに、ライト・エイドというドラッグストア・チェーンは、オフィスとしての本社ではなく、人と人がつながるためのスペースだけがある本社を作ると言っているほどです。

これこそがオフィスの未来です。これからの都市は仕事をする場所ではなく、社会的な相互関係とコネクションを作る場所になっていくでしょう。ＩＴ技術によってどこにいても仕事ができるようになったので、パンデミックが終息した後にも長く続くトレンドになると思います。

オフィス街の新しい機能

今回のパンデミックではっきりしてきたことは、都市のオフィス街が完全に消滅することはないということです。そして、その中心部は生活と仕事、両方の場として使用されるためにリメイクされ、そのトレンドが加速していることにも気付かされました。

オフィス街の中心部が住宅用として、夜の時間を人々と一緒に過ごす場として、以前よりもっと使われるようになっています。さらに、後述する２０００年代のアメリカでの経験によって、多くの人々の間に都市への回帰ムーブメントが起こり、それがビジネス中心街のリメイクを生じさせています。

コロナ禍でリモートワークが与えている最大の影響は、「オフィス街中心部の生と死」と私が呼んでいることにつながっています。端的に言うと、我々がどこに住み、どこで働くかという地理的な面よりも、いかに暮らし、いかに働くのかという点のほうが重要なのです。オフィス街が仕事の場としての機能だけではなく、人と人がつながる場としての機能を求められるようになっています。

実は、クリエイティブ・クラスのような知的労働者や知的産業に関する私の理論は、日本での経験に根ざしています。

少し時間をさかのぼってお話しすると、私のキャリアは組織についての研究から始まったのですが、最初の著作は日本の労働組織やアメリカに工場を移転した日本企業に関するものでした。

また、情報化社会で影響力を増してきたクリエイティブ・クラスに関する私の理論も、シリコンバレーの新しいスタイルのスタートアップ企業と、日本企業の工場での製造管理などを比較することが軸になっています。

日本企業の工場で労働者に求められているのは肉体労働だけではなく、一人ひとりの知識や能力をフルに活用することだと分析しました。つまり日本の工場は、単に働くだけの場所ではなく、労働者をひとりの人間として扱う「新しい工場」だったのです。

グレート・リセット

２００７年にアメリカで住宅バブルが弾けて、製造業を支えていた工場労働者たちの郊外でのマイホーム生活が破綻してしまいました。さらに、このサブプライムローン問題は、致命的な金融危機へとつながりました。だからこそ、私はマクロレベルで社会をリセットしなければならないと主張したのです。

こうした経緯を踏まえて、２０１０年に『グレート・リセット　新しい経済と社会は大不況から生まれる』（邦訳は早川書房）という本を出しました。この本で私は、２００８～２００９年の金融、経済危機のあとに、社会と経済の構造が大転換を迫られる「グレート・リセット」が起きるだろうと予想しましたが、あまりにも時期尚早でした。まさに、いまの時代に出すべき本だったと思います。

このパンデミックによって生じるリセットは、何もマクロレベルだけではありません。一人ひとりの生活の仕方から働き方に至るまで、大きなリセットが起きるのを私たちは目の当たりにしてきました。日々暮らして、働く場所をどのように選択したら良いのか、私たちはもう一度深く考えなければならないのです。

COVID-19パンデミックは、アメリカにおいて他国では見られない傾向を生じさせました。この現象は日本はもちろんのこと、ヨーロッパでも、さらに隣国のカナダでもほとんど見られません。

実は、アメリカでは都市に住む誰もが「田舎に転居すべきか、自然豊かなモンタナ州に転居すべきか、ニューヨークを離れるべきか」といったことを考えています。アメリカ人はみな、この個人的な問いを胸に抱えて、精神的に深いモーメント、リセットへのモーメントを感じているのです。

このパンデミックに良い面があったとすれば、自分はどのような人生を生きたいのか、きちんと自分自身に問うようになったことでしょう。

転居できるのは特権的な階級

しかし、リモートワークが普及して転居を考えるようになったとはいっても、アメリカの2020年のモビリティ（流動性）は過去最低の数字を示しています。それには理由があると思います。

人口の60〜80％は、転居したくてもできないのです。全人口に富裕層や知的労働者が占める割合はほんのわずかであり、リモートでできない仕事もたくさんあります。妻がリモートワークをしていても、夫ができない場合もあるでしょう。さまざまな事情から、実際に転居できる人の数は非常に限られるのです。

その一方で、少数の富裕層や知的労働者たちは、いまの状況をうまく利用しています。実際に転居した人たちのプロフィールをみると非常に似通っています。比較的若く、新しい家庭を形成しつつあり、すでに幼い子どもがいて、さらに奥さんがもう一人妊娠しているような人々です。

約20年前、クリエイティブ・クラスの人々は、「ワクワクするような都市に住みたい」と言っていました。郊外は退屈で、そういうところは「Leave It to Beaver」(1957年に放映を開始した人気テレビドラマ。郊外に住む典型的な家族を描いている)みたいな感じだというのです。

ところが、パンデミックを経験した現在は違います。

多くのクリエイティブ・クラスは、大都市の近くの古風な田舎町を選ぶようになっています。実際に私の友人のなかには、モンタナ州のボーズマンやワイオミング州のジャクソンホールに引っ越した人もいます。さらに、南フロリダに引っ越した友人なら、もっとたくさんいます。

このパンデミックは、こうした特権的なグループに、これまでになかったような選択肢を提供することになったのです。

要するに、すべての仕事をリモートワークでこなせるのは、知的労働者だけなのです。彼らは教育レベルがかなり高く、クリエイティブな職業に就いており、高収入でプロフェッショナルです。自動車工場や製鋼所、半導体工場の労働は、リモートではできません。医療関係者、配達員、食料品店の店員、物流倉庫の作業員も、リモートワークすることは不可能です。

自宅で仕事をした方がいい

私が信頼しているスタンフォード大学のニコラス・ブルーム教授（経済学）によれば、リモートワークは、知的労働者の生産性を5％ほど上昇させました。主な理由は通勤に費やす時間が減少したからですが、他の要素もあるでしょう。

ちなみに私は、インターネットが出現する前から、ずっとリモートワーカーでした。ネットがまだ存在しないときは、世界中の同僚にファックスで資料を送っていました。オフィスに行くのを好きになったことは一度もありません。オフィスはとにかく気が散ることが多いですから。

プログラマーにしてエッセイストのポール・グレアムが書いた、「Maker's Schedule, Manager's Schedule」という有名なエッセイがあります。そのなかで彼は次のような主旨のことを言っています。

「ソフト開発者であれ、作家であれ、何かを創造する人は少なくとも半日単位で仕事をすることを好む」

つまり、仕事を妨げる他人がいない自宅で仕事をした方がいいということです。

私は今までオフィスに行くのは週に1、2日で、数時間そこで仕事をし、コーヒーショップに寄ってコーヒーを飲み、ランチを食べ、それから人に会うというような過ごし方をしていました。人に会うアポイントメントは同じ日に集中させます。そうすると書く時間を奪われません。

リモートワーカーを誘致する都市

こうした状況のなか、比較的に規模が小さな都市はリモートワーカーを誘い込むのに成功しています。

リモートワーカーへのアプローチが成功している例として挙げられるのがタルサです。オクラホマ州で2番目に大きな都市ですが、2018年に「タルサ・リモート」というプログラムを設立しました。このプログラムはもともとジョージ・カイザー・ファミリー財団が始めたもので、私もアドバイザーとして手伝いました。

他の地域からタルサに引っ越してくるリモートワーカーには、手ごろな価格の住宅と1万ドルを提供するのです。1200人以上がそのリストに入っていて、そのうちの4分の3はテクノロジー企業に勤めています。

タルサは先駆者ですから、リモートワーカーを惹きつける魅力があるのです。それは1万ドルの助成金がもらえるからではありません。

成功の大きな要因は「新しい生活をタルサで始めよう。我々はあなたがコミュニティの一員になるのを助けます」と胸を張って宣伝できるだけの能力と実績があるからです。他の地域のプログラムと違うのは、実際に携わっているスタッフが大勢いて、移住者たちを含めたコミュニティをしっかりと築けているところです。

スタッフたちは単にタルサへの引っ越しをサポートするだけではなく、地域のコミュニティを育成し、社会関係資本やコミュニティ資本を築くことに多くの時間を費やしています。こうした取り組みはすべての都市において実現できるものではありません。おそらくうまくいったとしても、全米で20〜30くらいの都市ではないでしょうか。

「第三の場所」とは何か

私はこれまで「第三の場所」という概念を提唱してきました。このコンセプトは、30年以上も前に都市社会学者のレイ・オルデンバーグ氏によって考案されました（『サードプレイス　コミュニティの核になる「とびきり居心地よい場所」』邦訳はみすず書房）。

「第一の場所」を住む場所、「第二の場所」を働く場所（職場）だとすると、「第三の場所」とは、人と人がつながる場所のことです。オルデンバーグ氏の考えでは、サードプレイスとは、労働者たちが軽く飲みに行く街角のバーであったり、教会であったり、人々が安らぐために集まるところでした。

また、この概念は政治学者であるハーバード大学のロバート・D・パットナム教授が指摘していたことにも非常に似ています。彼は20年以上も前に、『孤独なボウリング　米国コミュニティの崩壊と再生』（邦訳は柏書房）を出版していて、コミュニティ形成能力の衰退や、人と人のつながりの重要性を分析しています。

私も『クリエイティブ資本論』で「第三の場所」について言及していますが、いま我々はその概念を再定義しつつあります。

これまで大都市のカギとなってきたのは、生活する場所と働く場所であり、「第三の場所」の役割は最小限にしか評価されてきませんでした。知的労働者たちで成り立つ都市では、将来的にこの「第三の場所」が極めて重要なスペースになってきます。

たとえば、スターバックスのようなところで仕事をしている人たちを見かけたことがあるでしょう。それは彼らにとって、コミュニティの中で働いているのと同じことなのです。リモートワーカーたちをみると、実は25％の人は自宅で仕事しているのではなく、コーヒーショップや図書館、ホテルのロビーや友人の家などで作業をしています。これがリモートワークのエコシステムと言えるでしょう。

未来の工場

資本主義の現段階は、情報化が進んでかなり都市化していますが、日本の読者にむけて言うならば、未来の工場とはトヨタのような工場ではありません。知識経済の工場には工作機械は設置されておらず、人々がシェアしている「第三の場所」がたくさんあります。それ自体はオフィスでもありません。

つまり、未来の工場とは「都市と第三の場所」です。「第三の場所」を多く備えた都市と言ったほうがいいかもしれません。

この点はまだ多くの人が理解していないようです。高度に情報化された資本主義の次の段階において、人々をまとめるものはコミュニティなのです。

単に都市の規模が大きければ良いというものではありません。むしろダウンタウンの中心部のほうが重要な価値をもつでしょう。もし私が友人とゆっくり語らいたいと思ったら、会うところは小さな地区を選びます。トロントでもマイアミビーチであっても、都心部には行きません。

マイアミビーチの気に入っているところを現地の人に聞くと、「歩いて人に会える」とか、「スクーターでミーティングに行ける」、「車に乗る必要がない」、「非常にリラックスした格好のまま人に会える」ところだと言います。

以前、オーストラリアのヌーサにいましたが、そこはカリフォルニア州マリブのような最も美しい場所の一つです。その町でコンサルティングを請け負ったところ、依頼主側は「barefoot executive（裸足の重役）を惹きつけたい」と希望していました。

これは現在進行形のトレンドで、カジュアルさ、フィットネス、ウェルネス（生き生きとした心身の健康）を志向しています。往々にしてこのトレンドを持っている地域にはフィットネス施設、ヨガスタジオ、ピラティス・スタジオ、ブートキャンプなどがあります。

工場で汗水たらして働いていた時代から見れば絵空事のような世界ですが、こうした地域に住む人々はみな、楽しんでいるだけではなく、きちんと仕事もしているのです。

ウェルネスとフィットネス

我々はいま新しい知識労働の方法論を生み出そうとしている揺籃《ようらん》期にいるのだと思います。それは従来のオフィス機能とホスピタリティ機能を併せ持った形になるでしょう。流動性があり、チームワークが発揮され、人と人が交わるスペースがある。こうした働き方をいま生み出しているのです。

もうひとつの要素は、ウェルネスとフィットネスに重点を置くことです。これこそが新しいトレンドです。

最近よく見かけられるのが、同僚とフィットネスクラスでグループレッスンを受けるケースです。また、ウォーキングやゴルフをすることもあります。なかでも特にウォーキングは大きなトレンドで、ミーティングが終わったらみんなで一緒にウォーキングするのです。こうした現象が新しい仕事環境の一部になるでしょう。

新しい働き方に、新しい種類の「第三の場所」が含まれます。いま我々が「第三の場所」として認識しているものよりも、はるかに進歩した場所が必要です。それは単にラーメンを食べたり、お酒を飲んだりするような場所ではないのです。

日本人による新しいオフィス

日本ではリモートワークをしようにも、自分専用の部屋がなく、その上に小さな子どもがいる場合、むしろ自宅だと仕事に集中できないことも多いと聞きます。そういう人こそ、「第三の場所」でのリモートワークをおすすめします。

以前、ウィーワークでコンサルティングをしたときに「なぜ郊外に自社ビルを建てないのか」と訊いたことがありました。すると「社員はみんな都心部で働きたいと考えているのです」と返答されました。

しかし、パンデミックに突入して、彼らが実際にコワーキング・スペースを作っているのは郊外であることが多いのです。さきほども述べましたが、パンデミックによって新しい種類のオフィスが生み出されています。

こうした潮流は、日本人のほうが誰よりもわかっているはずです。先に説明したように、かつては日本こそが「新しい工場」を作ったのですから。当時の日本人は、アメリカの汚くて非人間的な工場を見て、「これはダメだ。我々はクリーンな工場を作って、従業員がチームの一員と感じられるような場所にしよう」と考えました。従業員を単なる労働者ではなく人間として扱う、新しい種類のオフィスを生み出すことに長けているのは、まさに日本人でしょう。新しい工場を作ったときと同じようなやり方で、新しいオフィスを作ることができるのではないでしょうか。

ポスト・パンデミックの世界

私個人のケースで言えば、もうパンデミック以前の状態には戻らないでしょう。前はあちこちに出張に行っていましたが、パンデミックの副産物で、毎日子どもたちと過ごすことができるようになりました。子どもにとって大切な成長期に、毎日一緒に過ごすことができたのでラッキーだったと思います。知的労働者階級にとっては、これがニューノーマルであり、ホリスティックな（包括的な）生活なのだという感覚が、より強くなっています。

ポスト・パンデミックの世界は、プリ・パンデミックの状態に戻ると主張する人もいますが、最大の変化は本当の富裕層が体現することになるでしょう。彼らこそが、住む場所や働く場所を実際に変えている人々です。

その次に変化があるのは、クリエイティブ・クラスです。ですから、社会階級間の分断はさらに大きくなるでしょう。

リモートワークができる知的労働者階級と、サービス業や肉体労働で身動きが取れない人たちとの格差は、単に収入の面だけではなく、ライフスタイルにも生じてきます。特権階級の方が、はるかに選択肢が多いのです。皮肉なことですが、「落ち着いてしばらくしたら、また新型コロナウイルスが戻ってくるように」と不謹慎な冗談を言っている人もいるくらいです。

コロナ禍で学んだこと

私自身は新型コロナウイルスの感染拡大がずっと続くことは当然望みません。私はワクチン接種を3回しました。6歳の子どもも接種しました。あとは4歳の子どもの接種だけです。ノーマルの生活に戻りたいですが、オールド・ノーマルには戻りたくありません。新型コロナウイルスによって学んだニューノーマルの部分は、そのまま維持したいと思っています。

さらに、私の個人的なライフスタイルの変化という観点からみると、COVID‐19による自粛生活は良かった面もあります。まず、飲酒の習慣をほぼやめたことです。それまで大酒飲みだったというわけではありませんが、アルコールでストレスを解消していたことは確かです。

そんな生活をしていたのに、いまではエクササイズをするようになり、10キロほど痩せました。アルコールではなく、エクササイズによってストレスを解消するようになったのです。いまでもワインは少しだけ口にするものの、アルコールに対する耐性を失ったので、たくさんは飲めません。

以前よりはるかに良い父親になったと思います。自分のことよりも、子どもや家族を優先するようになったのですから。私は新型コロナウイルスからたくさんのことを学んで、家族をしっかりと守ることができたと思います。あとになって「ひどい父親だった」と家族に言われることはないでしょう。家族やコミュニティの価値を、今まで知らなかった形で学びました。

新型コロナウイルスによって国境の重要性についても学びました。私はトロント大学の教授なので1年の大部分をトロントで暮らしていました。当然、トロントがあるカナダとアメリカの間には国境がありますが、その国境がどれほど厄介なものか、パンデミックで思い知らされたのです。トロントに住んでいるときは、アメリカにいるいとこやおじ・おば、祖母に会うことはできませんでした。

これほどまでに人と人の間を隔ててしまう国境は、政治目的で使われるべきではないことも痛感しました。これまで国境についてあまり考えたことがありませんでしたが、国境が何を意味するのか、深く考える契機になったのです。

教訓を忘れないために

私の両親は1920年代に生まれており、両親のおばやおじは1918年から大流行したスペイン風邪を経験し、親戚の多くが亡くなっています。

しかし、両親はそのパンデミックのことを私に話してくれたことは、一度もありません。それには理由があることに気づきました。人生において深く傷ついたことや本当に嫌だったことは、忘れてしまうように人間はプログラムされているのです。

我々にはレジリエンスがあります。もちろん先達の教訓を忘れないようにしたいと思っています。公衆衛生に関する教訓だけではなく、孤独のような精神衛生の面の教訓も重要です。コミュニティを構成する要素がしっかりしていることの重要性にも気づきました。そういう教訓を忘れたくないと今は思っていますが、私たちはいつか忘れてしまうのではないかと危惧しています。

第6章

GAFAの勝者アマゾンは医療を目指す

スコット・ギャロウェイ

ニューヨーク大学スターン経営大学院のスコット・ギャロウェイ教授（57）は、著書『the four GAFA』（邦訳は東洋経済新報社）で、一躍脚光を浴びた。

同書でギャロウェイ教授は、ＧＡＦＡ（ガーファ）と呼ばれるGoogle, Apple, Facebook, Amazon の4社を「ヨハネの黙示録の四騎士」（地上を四分して支配し、剣、飢饉、悪疫、獣によって人間を滅ぼす権威を与えられた者たち）にたとえ、ビッグテック企業の強大なパワーが孕《はら》んでいる危険性を指摘した。

新型コロナウイルス感染症（以下、ＣＯＶＩＤ－19）のパンデミックが始まった２０２０年には、続編『GAFA next stage』（邦訳は東洋経済新報社）を上梓し、コロナ禍がＧＡＦＡにどのような影響を与えたのかを分析している。

ブランド戦略とデジタルマーケティングを教え、自身もシリアル・アントレプレナー（連続起業家）として9つの企業を立ち上げてきたギャロウェイ氏。彼はパンデミックがビジネス環境をどのように変化させたかを分析し、ビッグテック企業に有利に働いていると説く。

コロナ禍によって、資本主義社会がどのように変容していくのか、ＧＡＦＡによる寡占状況は揺るがないのか、ギャロウェイ教授に語ってもらった。

数十年分のことが数週間で起きる

「何ごとも起きない数十年もあるが、数十年分のことが数週間で起きることもある」

ロシア革命後の急激な変化について、レーニンがこういう主旨の発言をしていますが（本当はもっと長々とした言葉でした）、今回のパンデミックで起きたことを、まさに言い当てていると思います。

たとえば２０２２年２月の時点で、アメリカの累計死亡者数は90万人を超えました。これはシアトルやサンフランシスコの人口を凌《しの》ぐ数です。死者数が多い月は、ベトナム戦争の米軍戦死者（約４万７０００人）より多かったほどなのです。

ＣＯＶＩＤ−19はビジネスにおいても大きな変化をもたらしました。

２０２０年初頭、小売業におけるデジタル取引の割合は約16％でした。それが、ウイルスがアメリカに広がり始めてから８週間（同年の３月から４月）で27％にまで跳ね上がったのです。それまでｅコマースは毎年約１％ずつ成長してきましたから、わずか８週間で10年分の成長をとげたということになります。

ＣＯＶＩＤ−19の長期にわたる特徴として、物事を大きく変化させる作用よりも、物事を加速させる作用のほうが強いことが挙げられます。世の中ですでに起きている変化をどんどん加速させて大きくしていくのです。社会、ビジネス、個人の生活など、どの分野においても変化のトレンドが、この２年ほどで10年分くらい早送りされてしまいました。それはテレワークやリモート会議の普及スピードをみても、明らかではないでしょうか。

「分散化」というトレンド

ここ数十年、世界経済において大きなシフトが3つ起きました。1つ目はグローバリゼーション、2つ目はデジタル化です。

そして、3つ目は「分散化」です。分散化とは、エンドユーザーがどこにいてもいつでもサービスや製品を安いコストで提供することです。

たとえばアマゾンならわざわざ店舗に出かけなくても、注文翌日には玄関先まで商品を届けてくれます。ネットフリックスは映画館に行かなくてもリビングで好きな作品が見放題です。

こうした分散化が、あらゆる業界で広がっています。Ｚｏｏｍもそうです。会議室というインフラを省き、移動時間も節約できるようになりました。アメリカではオンライン・フィットネスのペロトンが人気ですが、これはＺｏｏｍのようなツールを使ったフィットネスジムのようなものです。会員は１００万人ほどで9割以上の定着率を誇っています。

このように、パンデミックはあらゆる産業セクターで分散化を加速させました。その結果、サプライチェーンは再編を余儀なくされ、企業にとってはインターネットが普及してから最大とも言うべき、株主価値を高めるチャンスにもなっています。

オンライン診療の増加

この分散化へのシフトチェンジで最も大きなインパクトを受けているのが医療の分野です。アメリカではCOVID-19に感染した人の多くがオンライン診療を受けました。ウイルス感染者だけでなく、パンデミックの間に精神的な不調をきたした人は、わざわざ出かけなくてもセラピストとオンラインで面談し、薬を処方してもらうことができました。

このコロナ禍以前には、アメリカでオンライン診療を受ける患者の割合は、1%にも満たないものだったでしょう。保険の制約があって、オンラインでの診療や処方がほとんど認められなかったからです。それがパンデミックによって変更されたことで、今では3分の1の患者がオンラインによる診療を選んでいます。

いずれこのパンデミックは終息するでしょうが、そうなってもオンライン診療の割合が急激に下がるとは思えません。この分野に新たな資本が投下され、イノベーションも起きるでしょう。

エンパシーの希薄化

産業面での分散化は経済的な価値を生み出しますが、その一方で人々の精神面にマイナスの影響を及ぼしたことは否めません。エンパシー（共感）の気持ちがだんだんと希薄になっていったのです。

それまでスーパーや市場に出かけて、食材や日用品を買っていたのに、ステイホームを迫られた結果、食材から洗剤に至るまで、ほとんどをオンラインで購入するようになりました。

レストランで気の合う友人たちと語り合う機会も、かなり少なくなりました。テイクアウトやデリバリーを利用して夕食を調達できるのはとても便利ですが、どこか味気ないのも確かです。

人と人が直接触れ合う、言葉を交わし合う機会が極端に減ったのです。

パンデミック以前なら、休日にショッピングモールに家族で出かければ、そこでホームレスの人が目に入ることも、あまり裕福でないシングルマザーの家族を見ることもありました。ところがコロナ禍で、自分とは異なる人種の人や、所得レベルが大きく異なる人の姿を間近で見る機会が減ったのです。

すると、違う境遇にいる人々への共感を失うことにつながります。ある研究によると、マイノリティ集団の近くに住んでいると、彼らに共感する気持ちを持つようになるが、遠く離れたところに住んでいると、むしろマイノリティの存在を不快に思うようになるのだそうです。

国の規模を超えたGAFA

さて、これからビッグテック企業について話しましょう。

パンデミックを経てGAFAのパワーはさらに強大なものとなり、いまや中国を除けば、世界のいかなる組織をも凌駕《りょうが》しています。民間の企業と国を比較するのはおかしいと言われるかもしれませんが、このＧＡＦＡという「四騎士」の時価総額は、ロシア、スペイン、オーストラリア、メキシコの４カ国のＧＤＰの合計を上回っています。ＧＡＦＡにマイクロソフトを加えたＧＡＦＡＭで見ると、米国大型株の株価指数であるＳ＆Ｐ５００に入っている企業すべてを合計した時価総額のうち、実に４分の１を占めているのです。

もはやあまりにも支配的で、株式市場のありとあらゆる資金を吸い上げるように時価総額を上げています。アップル１社だけで見ても、イギリスのトップ１００の企業の合計時価総額よりも上回っています。

ビッグテック企業は巨大ですが、大きいこと自体が悪いわけではありません。その副作用が深刻化していることが問題なのです。

つまり、ここまで市場で支配的になってしまうと、競争相手が出てこなくなります。スタートアップ企業に資金が流れず、イノベーションが生まれにくくなります。その証拠に２０１１年にPinterest（ピンタレスト）が生まれてからというもの、アメリ力では新しい有力なソーシャルメディアが誕生していません。

ＧＡＦＡの勝者、アマゾン

２０２０年のインタビュー（小社刊『コロナ後の世界』所収）で私は、ＧＡＦＡの中でさらなる勝者となるのはアマゾンだと予想しました。

パンデミックが始まると、アメリカ政府は景気刺激策として、成人に最大１２００ドルを直接給付しました。これは「アマゾン株主支援法」とでも呼ぶべきものでした。街をロックダウンし、国民をステイホームで閉じ込めて、キャッシュを送りつけたのですから、アマゾンで買い物をしろと言っているも同然です。他に使いみちがあるとしたら、ネットフリックスですが、こちらは定額制なので使える額に限りがあります。

かつてメディアは、アマゾンとアップルのどちらが最初の１兆ドル企業になるかという議論でもちきりでした。２０１８年のころです。

この競争の勝者は、アップルでした。さらにパンデミック下の２０２０年８月には、アップルは時価総額２兆ドルを達成しました。

しかし、初の３兆ドル企業になるのはどこかと言えば、誰もが同じ答えを口にします。アマゾンです。おそらく２０２３年末には最初の３兆ドル企業となるでしょう。

費用を収益に変える仕組み

アマゾンの施策の中で魔術的だったのは、費用を収益に変える仕組みを考えだしたことです。

いまやアマゾンにとって稼ぎ頭となっているクラウドサービスのＡＷＳ（アマゾン・ウェブ・サービス）が典型的な例です。アマゾンはオンライン・ストアなので優秀なデータセンターが必要です。ところがデータセンターの運営自体は同社の中核事業ではありません。普通の企業であれば専門業者に外注するところです。

ところがアマゾンは外注せずに、豊富な資本力を生かして自前でデータセンターを作り、運営するようになりました。そして、その能力を他社に販売するまでに至ったのです。AWSはこうして生まれ、今では世界最大級のクラウドサービス事業となりました。

本来であれば、テクノロジーとソフトウェア開発が本業のグーグルやマイクロソフトが、AWSのようなサービスを運営していたとしてもおかしくありません。しかし、小売業出身のアマゾンがこの市場を牛耳っています。

これと同じことをアマゾンは配送においても実現しました。

何百万、何千万という商品在庫を倉庫で管理し、48時間以内に顧客のもとへ届ける配送システムを構築しました。さらに、この配送能力をマーケットプレイスに出店している他の小売業者に提供しています。

フェデックスやDHLのような既存の配送業者が時価総額を減らしていく一方で、アマゾンは急成長を遂げました。

アマゾンはリモート医療で稼ぐ

アマゾンがこれから本格的に参入するのは、ヘルスケア事業です。布石はすでに打っています。

２０１８年には処方薬のオンライン・デリバリーを行うピルパックを買収して、２０２０年にはアマゾン・ファーマシーを立ち上げています。さらに、リアルとバーチャルを合わせたハイブリッド医療を企図するアマゾン・ケアも設立しています。

朝、起きたら息子の腕に湿疹が出ていたとします。私は音声認識ＡＩのアレクサに呼びかけます。

「アレクサ、皮膚科のドクターにつないでくれ」

すると、アレクサはオンライン診療に対応している皮膚科医をリストアップします。

その中から評判の良いところを選んで、息子を診てもらいます。インテリジェント・カメラに向かって息子の腕を見せれば、診察完了です。ドクターはオンラインで薬を処方し、アマゾンを通じて数時間のうちに、塗り薬が自宅に届けられます。
こんな風景が日常となるときは、もうそこまで来ています。

アマゾンは顧客に関するデータを、顧客本人以上に収集しています。どんな医療サービスであっても、顧客がどの銘柄のシリアルを毎朝食べているかなんて知らないでしょうが、アマゾンなら週にどれぐらい炭酸飲料を飲むかさえわかるかもしれません。

ウェアラブルデバイス（スマートウォッチではなくスマートバンド）のアマゾン・ハロもリリース済みですから、日々の体温、心拍数、血圧、血糖値など基礎的なヘルスデータの収集にも対応できます。

アマゾンはそういったデータやツールを包括したリモート・ヘルスケア・プラットフォームを築き上げていくことでしょう。そして、それを「プライム・ヘルス」と名付けるのではないかと私は予想しています。

アマゾンにとって最大の武器は、いとも簡単に資本を集められることです。アマゾンが包括的なヘルスケア・サービス事業への参入計画を発表すれば、その日のうちに資本調達できるでしょう。

パンデミックによってオンライン診療への障壁が取り払われました。規制や既得権益など、かつて阻んできたものはもうありません。「プライム・ヘルス」の実現に向けて、機は熟したのです。

アップルはサブスクで稼いでいる

次はアップルを見てみましょう。

アップルは低コストで製品を作り、それを高価格で売るという奇跡的なビジネスモデルを築きました。史上最高の高利益商品であるiPhoneがそれを可能にしたのです。GAFAの中にあって、アップルだけが実際に製品を製造して販売をしています。言ってみればメーカーなので、パンデミックの影響で業績を落とす可能性がありました。雇用が落ち込んで不況になれば、通常は商品の売り上げが落ちるものです。

そうならなかったのには、理由があります。

すでにアップルは収益の半分以上を、サブスクリプション形式のビジネスで稼いでいるのです。iCloud、アップル・ミュージック、アップルTVプラスなどのサービスです。アップルは継続的な収入を生むサービスに多額の投資を行っていました。

パンデミック前の2019年第4四半期（7～9月期）の業績を見ると、アップルのサービス部門の売り上げ比率は5分の1弱になっています。アップルはすでに業態を転換させつつあったのです。

そもそもアップルは、iPhoneのみならず、マックブック、iPod、アップル・ウォッチなど、消費者を囲い込む「セット売り」を得意としていました。顧客のブランドロイヤリティも高い。そこにサブスクリプション形式のサービスが加わることで、製品からサービスまでの垂直統合型のビジネスモデルが構築できます。

スポティファイとの大きな違い

ここにアップル・ミュージックとスポティファイの差が表れています。アップル・ミュージックで聴ける音楽は、たいていスポティファイでも聴くことができます。スポティファイは有料会員数でアップル・ミュージックを遥かに凌いでいますが、App Storeの手数料として3割をアップルに搾取され続けているのです。

仮にスポティファイに逆転の手がかりがあるとすれば、ネットフリックスと合併することでしょう。映像と音楽のサブスクリプション・ビジネスで市場を独占し、なおかつスマートスピーカーなどを手がけるソノスを買収すれば、各家庭のリビングに欠かせないサービスとして君臨できるでしょう。

実際、サブスクリプション形式のビジネスは大きな可能性を秘めています。定期的、継続的に得られる収益を基礎とするビジネスモデルにシフトすることで、顧客との関係性にビジネスの重点を置くことができます。

従来の小売り形式ビジネスでは、より多くの顧客を店舗に集めようとしてきましたが、これはパンデミックを経験した私たちの生活様式に逆行するものでしょう。ですから、企業経営者と話をするたびに、新規プロジェクトに取り組むのであれば、サブスクリプション形式のモデルにするように勧めているほどです。

アップル・カーの登場

２０２０年の時点で私は、将来的にアップルは教育事業に参入するだろうと予想しました。結果から言えば、これは外れました。教育事業ではなく電気自動車（ＥＶ）事業に参入しようというのです。

パンデミック以前、このセクターは時価総額で言えば１０００億ドル規模でした。それがイーロン・マスクのテスラの株価高騰によって、１兆ドル超にもなっています。もし、アップルのティム・クックがりんごのマーク付きのアップル・カーを発表したならば、その１兆ドルのうち少なくとも４分の１は、アップルに移動するでしょう。アップルは世界最強のブランドだからです。

ＡＩによる完全自律走行型のＥＶ開発を目指していると言われますが、これまでの自動車のようにユーザーが購入するのか、シェアリング形式を採用するのか、事業展開の方向性はまだ明らかではありません。

それでもアップル・カーが期待されているのは、前にも述べたように、アップルは垂直統合型のビジネスが得意だからです。アップル・カーを起点として新たなサービスが展開されることでしょう。

グーグルとフェイスブックの今後

アップルとは対照的に、グーグルとフェイスブック（現・メタ）は広告事業で稼いでいます。通常、経済が低調になると広告費は削減されます。

実際、パンデミック当初はデジタル広告費も落ち込みました。ただ、グーグルもフェイスブックも、エアバスやボーイングを買収できるほど資金を保有しているので、多少の停滞期があったところで、何ら問題ありません。

むしろコロナ禍での広告費削減で苦しんだのは、オールドメディアのほうです。大手広告主たちは彼らに支払う広告費を削減することをためらわなくなりました。オールドメディアに広告を出さなくても、売り上げが変わらないことが、このパンデミックで証明されたからです。

単純に言って広告主にとってはグーグルとフェイスブックのほうが便利なのです。ステイホームで顧客たちは、ますますグーグルとフェイスブックを使うようになりました。両社ほど、規模ときめ細やかさを併せ持ったプラットフォームは他に存在しません。

フェイスブックへの厳しい視線

この2社にとって痛いのは、各国で逆風が吹き始めていることです。特にフェイスブックは社会問題にもなっています。前回（2020年）の大統領選挙をめぐり、トランプ前大統領がフェイスブックやツイッターで「大規模な選挙不正が行われた」と誤った情報を発信しつづけ、支持者たちが連邦議会議事堂を襲撃した事件は、今も鮮烈な記憶として人々の胸に刻まれています。

EUのデータ移管に関する規制によって、フェイスブックはヨーロッパでのSNS

サービス事業を継続できないかもしれないと言っています。

アップルがiPhoneなどのOSを刷新した影響も大きいものでした。アップルは端末ごとに割り振った識別情報の利用を事前承認制に変え、広告会社などの使用を制限するようにしました。その結果、アプリを横断した利用者の行動履歴の捕捉が困難になり、フェイスブックも個人の嗜好に合わせた広告配信が難しくなったのです。

フェイスブックは今も覇権を握るビッグテック企業です。ただ、これまでと明らかに違うのは、人々が同社を社会的脅威だとはっきり認識しはじめたことです。

同社のコア・サービスであるインスタグラムが若い世代に与える悪影響が、同社の内部調査で明らかになっていると報道されています。

インスタグラムを利用することで10代の少女の3人に1人が、「体型コンプレックスを悪化させている」と答えました。さらに、自殺願望があるとした10代の若者のうち、アメリカでは6％、イギリスでは13％が、「インスタグラムにその原因がある」と回答しています。

こうした結果に対してCEOのザッカーバーグが選択したのは、社名をフェイスブックから「メタ」に変更することでした。これはかつてタバコ巨大企業のフィリップ・モリスが健康被害の賠償訴訟に直面して、アルトリア・グループと名前を変えたのに似ています。フィリップ・モリスはタバコ以外の事業を拡大させましたが、フェイスブックはメタに社名が変わっても、事業の中身は何も変わっていません。

マッチング・アプリも「勝者総取り」

このパンデミックが変化を加速させたと冒頭で説明しましたが、それはＧＡＦＡなどのビッグテック企業だけに限らず、私たちの生活についても同じことが言えます。ＣＯＶＩＤ－19は、ありとあらゆる面で、人々の格差を拡大させました。

巨大ハイテク産業よりも、もっと身近な例で考えてみましょう。

コロナ禍によって、オンラインで交際相手や結婚相手を探す人たちが急増しました。ステイホームで日常的に新たに人と知り合うことが少なくなりましたが、人々はつながりを求めるものです。

するとマッチング・アプリの中でも「勝者総取り」が起きました。グーグルとフェイスブックはオンライン広告の8割を占め、アマゾンはeコマースの5割を握っています。これと同じことが起きているのです。

男女それぞれ50人がアプリに登録していたとすると、たった4人の男性が50人の女性から関心を集めているのです。ルックス、学歴、そして経済的な豊かさを示唆するシグナルがあると、アンバランスなほど女性の関心を集めてしまうのです。まさに「勝者総取り」です。

若いが貧しく孤独な男性

また興味深い調査結果もあります。２００８年に過去1年間でセックスをしなかった若い男性（18歳以上30歳未満）は10％でしたが、10年後の２０１８年には28％まで増加していたのです。

この調査結果が社会に与える影響は、思った以上に深刻です。犯罪統計などから分析すると、反社会的な傾向が強いのは、若いが貧しくて孤独な男性であることが多いからです。こういった層が急増すると社会が不安定になります。

失うものが少ないので、自暴自棄になってリスキーな行動に出ることも多い。ときどきアメリカでは、銃を乱射して多くの被害者を出す事件が起こりますが、その犯人たちの境遇が、このような孤独を感じている層と似通っているのも事実です。

この調査はパンデミック以前のものですが、コロナ禍によって格差がさらに拡大したはずです。

パンデミックで経済的な影響をもろに受けたのは、年収4万ドルを下回る世帯です。この層の約4割が一時解雇や休職になり、経済的な打撃を受けました。一方で年収10万ドル以上の世帯では、そうした被害を受けたのは約13％にとどまっています。

コロナ禍でテレワークが急速に普及しましたが、年収4万ドル以下の人々は、現場に行かないとできない仕事のことが多く、テレワークをすること自体が不可能です。しかし、年収10万ドル以上の人々では、約6割がテレワークで仕事をすることが可能です。年収の差で感染リスクにさえ格差が生じてしまうのです。

第７章

コロナ後の「Ｇゼロの世界」

イアン・ブレマー

国際政治学者のイアン・ブレマー氏（52）は、世界をリードする有力な国家が不在となった現代を、「Gゼロ」という概念で解き明かし、国際社会を不安定にするリスクだと喝破したことで知られる。

２０１２年に上梓した『「Gゼロ」後の世界　主導国なき時代の勝者はだれか』（邦訳は日本経済新聞出版社）では、アメリカ主導の時代が終わった後、国際社会は米中のG2体制になるのか、それとも新たな冷戦を迎えるのか、仔細に分析している。同書は、日本でも大きな反響を呼んだ。

現在、政治リスク分析などを手がける調査コンサルティング会社「ユーラシア・グループ」の社長を務める同氏は、アメリカはもちろんのこと、各国の首脳にも助言を行っている。

さらに同グループは、国際政治や世界経済に深刻な影響を及ぼす地政学的なリスクを予測し、「世界の10大リスク」と題して毎年初めに発表している。2022年の第1位は、「中国のゼロ・コロナ政策の失敗」だった。

ニューヨークを拠点として活動するブレマー氏に、中国における新型コロナウイルス感染症（以下、COVID-19）のリスク、米中対立の行方、岸田文雄首相への評価、そしてCOVID-19が国際政治に及ぼした影響などについて聞いた。

中国はオミクロン株に勝てない

私が率いるユーラシア・グループでは1998年から毎年、世界が直面するリスクのトップ10を発表してきました。そして、今年2022年の最大のリスクは、中国の「ゼロ・コロナ政策」の失敗だとしました。

COVID-19は、2019年末に中国の武漢で発生が報告されましたが、それからというもの、中国政府は徹底的な「ゼロ・コロナ政策」を採ってきました。感染者が一人でも出れば、その地域をロックダウンして感染を封じ込める。人民の移動を徹底的に追跡して、ＰＣＲ検査を受けさせる。当然、ワクチンも接種させてきました。

これは２０２１年の半ばごろまでは、世界で最も効果的な感染対策アプローチだったと言っていいでしょう。実際に中国では諸外国とは比べものにならないほど、感染者数が低く抑えられていました。

ところが、これまでとは違って、２０２２年の状況は一変するでしょう。なぜなら、オミクロン株の感染力は今までの変異株よりもはるかに高いからです。中国が開発したワクチンでは感染防止効果が乏しく、オミクロン株の感染を防ぐことはできません。

オミクロン株は重症化したり、死亡したりする率が、かなり低いことがわかっていますが、感染者の数があっという間に増えてしまいます。あまりにも急激に増加するので、感染者の数に応じて対策を講じても、あまり意味はありません。それよりも、入院する患者の増加を重視して対応すべきなのです。

ところが、中国政府は北京冬季オリンピック・パラリンピックを控えていたためか、「ゼロ・コロナ政策」にこだわり、感染者数ばかりに気を取られて対応していました。

２０２２年においても、中国は各都市のロックダウンを続けるでしょう。しかしながら、オミクロン株による感染拡大のスピードは、2020～2021年とは比較になりません。ロックダウンをしたところで、感染拡大を防ぐことはできません。欧米で感染者が増加して起きた事態を見れば明らかです。感染が拡がってしまうと、エッセンシャルワーカーをはじめ、社会機能を維持するだけの人手が足りなくなってしまうのです。

中国は世界第2位の経済大国であり、世界の経済活動において中核的なサプライチェーン（供給網）を担っています。オミクロン株によって中国経済の流れが止まってしまえば、供給不足からのインフレも懸念されますし、世界に大混乱を引き起こすでしょう。

「Gゼロ」におけるパンデミック

ただでさえ、このパンデミックによって全世界的に中流階級以下の人々の生活が蝕《むしば》まれています。大学かそれ以上の学歴のない人は職を失いました。失業しなかったとしても、リモートワークなどできない、実際に人と対面する仕事をしなければならなかったのです。

グローバリゼーションによって成長をとげてきた開発途上国の状況も悲惨でした。先進国と比較して圧倒的にワクチンが行き渡っていないからです。特にアフリカ大陸のワクチン接種は、ほとんど進んでいません。開発途上国の政府には国民をサポートするだけの財政的余裕がありませんし、だんだんと金利が上昇してきているので、予算を維持することさえ苦しいでしょう。

これまで私たちは有効なワクチンを世界中に供給することができませんでした。各国がバラバラに出入国制限の措置を取るなどしたのは、国際社会が協調できず、ワクチンが平等に行き渡らなかったからでもあります。このパンデミックが始まってから2年がたつというのに、いまだに協調することができていません。

これは国際間の協調を主導する国が存在しない「Gゼロ」という状況が変化していないからです。

北京五輪の外交的ボイコット

バイデン大統領は北京オリンピック・パラリンピックに政府関係者を派遣しない外交的ボイコットをしました。新疆ウイグル自治区や香港での人権侵害を理由としています。イギリスを筆頭にカナダ、オーストラリア、ニュージーランドなど多くの国が同様の措置を取りました。Ｇ７で閣僚を北京に派遣したのは２０２４年に夏季オリンピック・パラリンピックを控えるフランスくらいのものでした。

怒った中国政府は、アメリカの措置はオリンピック憲章の精神を踏みにじる行為だとして、対抗措置を取ると表明しています。開催前から国際社会で非難の応酬が続いている状況を見ると、この前年に東京でオリンピック・パラリンピックが無事開催されていて、本当によかったと思います。日本では開催に反対する意見も多かったようですが、もし東京大会を中止したり、再延期したりしていたら、コロナ後に開かれる初めてのオリンピックが、北京五輪だったことになります。中国はこのパンデミックが始まった国ですから、あまりにも悪い冗談でしょう。オリンピックのような世界的な大イベントは、やはり民主的な先進国で開催されるべきです。

実のところ、バイデン大統領は外交的ボイコットをすると発表しないで済むことを願っていました。オミクロン株の世界的な感染拡大を懸念して、中国側が各国首脳を五輪の開会式に招待しないと決断してくれることを望んでいたのです。そうすれば、わざわざ「政府関係者を派遣しない」などと言わずに済んだのですから。

とはいえ、北京五輪・パラの後、アメリカでは11月に中間選挙があるので、バイデン政権の誰もが中国に対して弱腰の姿勢を見せたくはありません。ただでさえ、下院は共和党に奪還されそうな情勢です。少しでも中国に対して弱腰だと疑われたら、次の選挙で票を失ってしまうからです。

その一方で、３大ネットワークの一つであるＮＢＣは北京五輪を独占放送し、ＶＩＳＡ、コカ・コーラ、インテル、Ｐ＆Ｇ、民泊のエアビーアンドビーなど、多くのアメリカ企業がスポンサーになっています。ラルフローレンはアメリカ代表チームが開会式で着用するユニフォームを作りました。もちろんその左胸には、馬に乗ってポロをする、あのおなじみのマークが入っていました。

要するに、アメリカも中国も経済的にはお互いを必要とし、ともに依存していることを理解しています。どちらも経済的な互恵関係を失いたくないと考えていることが、かろうじて米中関係において安全弁として機能しているのです。

バイデン大統領の対中政策

ただ、バイデン大統領は前大統領のトランプ氏と比較すると、中国に対してずっと厳しい姿勢を見せています。

トランプ氏は対中貿易赤字の削減を唱えて、関税を武器に中国に対して貿易戦争を仕掛けました。この対中方針は、自らの支持率上昇を主な狙いとしていたことが明らかです。その一方で、新疆ウイグル自治区の人権侵害や、香港の民主活動家への弾圧には何ら関心を示さなかったし、対中政策において同盟国と連携を取ろうともしませんでした。

対するバイデン大統領はどうでしょうか。民主主義や個人の自由という共通の価値観を持たない中国を、アメリカの安全保障上の包括的脅威とみなしています。前大統領が仕掛けた貿易戦争も継続し、さらに要求水準を高めるために輸出規制を追加しました。そして、中国政府との閣僚級協議に入る前には、日本、オーストラリア、インドという、対中抑止の枠組み「Ｑｕａｄ」（クアッド）のメンバーと会談しています。

大統領就任当初、バイデン政権はオバマ政権のように中国へのエンゲージメント（関与）を深めるだろうと予測していた専門家たちも多かったのですが、米国家安全保障会議のインド太平洋調整官は「関与の時代は終わった」と明言しています。

対中国の枠組みはＱｕａｄに加えて、イギリス、オーストラリアと組んだ「ＡＵＫＵＳ」（オーカス）もありますが、バイデン大統領はここでミスをしてしまいました。オーストラリアが導入する予定の潜水艦について、フランスとの契約を破棄して英米に替えてしまったのです。それでフランスのマクロン大統領が激怒しました。フランスはアメリカ、ロシアに次ぐ世界3位の売上を誇る軍事産業を擁し、太平洋地域に領土を持つ国として国際安全保障で重要な役割を担っています。あまりにも無神経な振る舞いだったと言うほかありません。

習近平の狙い

２０２２年秋の中国共産党全国代表大会（党大会）で３期目を迎えようとしている習近平国家主席ですが、毛沢東以来、中国共産党で最もパワフルな指導者となりました。権力の基盤固めも順調に進み、彼が任命する部下たちは、ますます彼の信奉者になっています。２０２１年の９月から中国では小学校から大学まで、「習近平思想」が必修科目として教えられているのですから、驚くばかりです。権力集中の結果、習氏がさらに危険なリーダーになる可能性は否定できません。

世界最大級の経済大国が、権威主義体制の独裁政治で運営され、国家資本主義であるという現実を、私たちはどう理解したらよいのでしょうか。世界は今以上に不安定化していく。それは間違いありません。

私たちの知っている世界では、最もパワフルな国は先進工業民主主義国でした。そのほうが権力の移行がスムーズにいきますし、世界も安定します。

中国がアメリカを抜いて世界第1位の経済大国になり、最もパワフルな国になったとしたら？　世界中において、あらゆることがリスキーになります。おそらく、それは2030年頃に現実のものになるだろうと私は考えています。

国際社会における中国のミス

そうした慢心から来るものなのか、中国政府がG7を中心とする国際社会に対して、いくつかミスを犯していることが気になります。

たとえば、EUが新疆ウイグル自治区の人権侵害を問題として、中国の公安部門トップのEUへの渡航禁止や資産凍結の制裁を科しました。これに対して中国は報復措置として、なんと欧州議会の議員たちに制裁を発動したのです。これはあまり前例のないことです。

EUは中国と包括的投資協定を結ぶことで合意していたのですが、中国の国際法を無視した報復措置に反発した欧州議会は、投資協定の批准手続きを凍結してしまいました。これは明らかに中国にとってマイナスです。

さらに、イタリアのドラギ首相は、中国の「一帯一路構想」への参加について見直すと発言しました。イタリアはＧ７の中で最初に参加を表明していた国だっただけに、中国にとっては、これも大きな誤算でした。

オーストラリアとも貿易戦争を繰り広げています。オーストラリア政府が５Ｇのネットワーク構築事業からファーウェイを締め出したことをきっかけに、中国は石炭、ワイン、牛肉など、オーストラリアからの輸入品に高率の関税をかけるなどの制限措置を実施しています。

カナダもアメリカの依頼でファーウェイの孟晩舟ＣＦＯを拘束したことを逆恨みされて、スパイ容疑で２人のカナダ人が長いこと中国に拘束されていました。もちろん中国政府は孟ＣＦＯの拘束と２人のカナダ人の逮捕は関係ないと表明していますが、それを信じる人はいないでしょう。

先進国と中国の関係をこうして見ると、アメリカに限らず多くの国が、国際社会における中国の振る舞いに憤慨しています。新型コロナウイルスの発生源調査への不満も、その背景にあるのかもしれません。

これが習近平氏の慢心に起因するものなのか、部下がきちんとした情報を上げていないからなのか、習近平氏の周囲にイエスマンしかいないからなのか、どれが原因なのかは分かりませんが、多くの間違いを犯していることは明らかです。

米中冷戦、最悪のシナリオ

こうした状況を踏まえて、最悪のシナリオを想定するとすれば、どのようなものになるのでしょうか。

最悪のシナリオは、あらゆる面での二極化です。世界が敵対する2つのブロックに分断されるということです。低所得国家は経済的に中国に支配され、政治的にも、軍事的にも、ハイテク技術面においても中国と共同歩調を取るようになるでしょう。

この中国側のブロックにおいて西側先進国の多国籍企業はビジネスチャンスを失う

ことになるでしょう。西側諸国は資源とサプライチェーンにおいて、中国側と対抗していかなければなりません。レアアースなど中国側が優位にある資源も少なくないので、決して楽な戦いではありえません。

2つのブロックの間で、テクノロジーも二極化していき、人的交流もなくなっていきます。ツーリズム、外交はもちろんのこと、データのエコシステムも二分化していくでしょう。そうなれば、中国側からは私のツイッターにアクセスできないし、私は微博《ウェイボー》にアクセスできません。2つのインターネット空間に分断されるのです。これは極めて危険なことです。

日本の抱えるリスク

米中冷戦に陥れば、日本は大変苦しい立場に追い込まれます。5G通信システム、インターネットなどのテクノロジー関係や、貿易など、米中の間で板挟みになってしまいます。日本経済は中国への依存度が高いので、まったく身動きがとれないでしょう。

しかしながら、日本はアメリカ側につく以外の選択肢はありません。歴史的、民族的、経済的など、さまざまな理由から日本と中国はお互いを信用できないでしょう。さらに、日本の安全保障を担保しているのはアメリカです。その状況が近い将来に変化することは考えにくいでしょう。

韓国大統領選挙が分かれ目

米中対立の行方を占う上で、より重要なファクターになるのが、2022年3月の韓国大統領選挙の結果です。中国の近隣国で行われる選挙で最もインパクトがあります。

もし、与党「共に民主党」の李在明候補が勝てば、アメリカを「占領軍」とみなす韓国政府になります。そうなると、中国寄りの政権となり、日韓関係は非常に難しいものになるでしょう。

経済的には日本より韓国のほうが中国に依存しています。多くの韓国人が中国とビジネスをしており、中国側から韓国への不動産投資額もかなり多い。また、中国各地にある市場にアクセスするための中継点として韓国が機能しています。

実はアメリカがアジアで抱えている大きな悩みが、日韓関係が順調に機能していないことです。日本と韓国の間にある歴史的な憎悪によって、アメリカは板挟みになっているのです。バイデン大統領が最初に公式実務訪問賓客として迎え首脳会談を行ったのが日本の首相であり、その次が韓国の大統領でした。バイデン政権が日韓関係を重視している証左です。

バイデン氏は文在寅大統領に、アメリカにとって韓国という国がいかに戦略的に重要なのか、じっくり説明しました。トランプ氏が在韓米軍の駐留費用をもっと払えと迫ったのとは対照的です。繰り返しになりますが、経済的に韓国はきわめて中国寄りです。韓国が日米豪印のＱｕａｄに参加するようになるかどうか、それがカギです。

岸田首相が取り組むべき課題

米中韓のはざまで難しい舵取《かじと》りを担っている岸田文雄首相ですが、ドイツの状況と少し似ているような気がします。ドイツでは16年も在任していたメルケル前首相が退任して、オーラフ・ショルツ氏が新首相となりました。彼は非常に有能な政治家ですが、国際舞台ではあまり知られていない人物です。メルケル氏が示したような強いリーダーシップを発揮できるとは思えません。

岸田首相にも同じことが言えると思います。彼が外務大臣を務めているとき、いろいろな政治家が密接に仕事をしているので、国際的にも信頼され、有能だと評価されていると思います。

とはいえ、安倍晋三元首相が長い時間をかけて築いたパーソナルネットワークや知名度の点では、足元にも及びません。国際政治の舞台において、果たしてどれだけ主導力を発揮できるのか、未知数です。

岸田政権では「新しい資本主義」と「憲法改正」を実現させると言っています。前者について、まだ具体的な政策こそ打ち立ててはいませんが、非常に良い試みだと思います。

アベノミクスは経済成長を促し、女性の社会進出についても積極的で有益でした。ただし、経済のスピードが速いグローバリゼーションの世界では、どうしても貧富の格差が生じてしまいます。岸田首相が取り組むべきは、日本で格差が拡大する原因を見つけ出し、アメリカが抱えているような大問題になる前に、国民の不満を解消することでしょう。

憲法改正は優先しなくていい

憲法改正については、日本にとってまったく優先的な課題ではありません。私は日本が軍事大国になったり、核保有国になったりするのを見たいと思いません。中国の軍事増強に対抗しようとしても、日本が競争上優位になることはありえません。日本はかつて世界第2位の経済大国でしたが、いまや中国に追い抜かれて3位です。14億の人口を擁する中国とのギャップは拡大する一方です。

ですから、日本の安全保障はアメリカの傘の下で、米軍に依存するべきです。日本の防衛費は、国防費と国際的な人道支援に費やす額を合わせて、GDP比率を検討するべきでしょう。日本は世界的な政治的安定に貢献すべきであり、そういう形でこそリーダーシップを発揮できるのです。自衛隊を世界中に派遣したところで、国際的な秩序を安定させられるわけではないのです。

憲法改正よりも、日本が最優先で取り組むべき課題は、AI(人工知能)や先端テクノロジーでの遅れを取り戻すことです。ビッグテック企業というと、アメリカと中国にしか存在しません。日本のハイテク企業は規模が小さすぎます。ヨーロッパも同様に取り残されていますが、日本はもっと起業家精神の育成を推進するべきです。AIに限らず、バイオテクノロジーやロボットなど、日本が得意とする2、3のセクターで成長することを考えるべきです。

アメリカの抱える「分断」という病

米中冷戦という難題を考える前に、アメリカは自分自身が抱えている深刻な問題に取り組まなければなりません。世界で最もパワフルな国であるはずのアメリカが、政治的に分断されていることが大問題なのです。

２０２１年の１月４日、ユーラシア・グループが発表した世界10大リスクの第１位は、「注釈付き第46代大統領」でした。その２日後のことです、「選挙が盗まれた」と叫んだトランプ支持者たちが、米国連邦議会議事堂を襲撃したのは。もう少しのところで、議員たちは人質に取られ、殺されたかもしれなかったのです。

分断の原因はいくつか考えられます。

一つには、アメリカがＧ７の中で最も経済的に不平等な国であることです。ＣＯＶＩＤ-19のパンデミックが、その状況に拍車をかけました。ごく一部の富裕層や、ビッグテック、ハイテク企業で高給をもらって働く人々は、感染への恐怖はあるものの、経済的には何ら困窮しませんでした。それに対して、労働者階級、中流階級のアメリカ人は支配階級への憎悪をみなぎらせていることでしょう。彼らは自国の政府を信じられない、エリート階層の連中を信じるべきではないと感じています。

次に問題なのは、構造的な人種差別です。白人警官に制圧されたジョージ・フロイド氏の死が、Black Lives Matter 運動を激化させたように、アメリカにおける人種差別は社会の階層構造に根ざしたものであり、一朝一夕には解決できません。さらに、教育レベルが低く、低所得の白人層が社会的ステータスを急速に失いつつあり、その事態に白人たちがかなりの恐怖感を覚えています。人口動態を予測すると２０４５年までにアメリカでは白人がマイノリティに転落します。

３つ目に指摘できるのは、分断を助長するソーシャルメディアの存在です。ソーシャルメディアはそのアルゴリズムの特性から、利用者自らが求める情報ばかりを表示して、反対意見に触れさせることがありません。すでに存在する政治的志向の分断を、さらに大きくしようとソーシャルメディアを駆使する人々もいます。特に知的な起業家層にそういうタイプが多いのです。彼らの存在が、さらに憎悪を増幅させ、政治的分断を助長しています。

トランプ前大統領は「症状」

実のところアメリカの最大の敵は、中国やロシアやイランではなく、政治的分断をめぐって対立している同胞なのです。これがアメリカの民主主義システムに多大なダメージを与えています。

トランプ前大統領は、既存の政治制度への不信感をあおり、人種的偏見を隠しもせず、自分に都合の悪い事実を認めようとせず、ひたすらに「敵」への憎悪をたきつけていました。こうした傾向を政治的トライバリズム（部族主義）と言いますが、彼ほどそれを武器として使った政治家はいません。

ただし、勘違いしてはいけないのは、トランプ氏はあくまでも「症状」であって、「原因」ではありません。トランプ前大統領が原因で分断化が起きたのではなく、すでにアメリカで生じていた分断化が進んだ結果、彼のような政治家が台頭してきたのです。
いまのアメリカにとって、最優先にすべき課題は3つです。すなわち、分断の原因を取り除くことです。

①偏在する富の再分配

②構造的な人種差別の是正

③分断を助長するソーシャルメディアの規制

こうした国内の重要課題に集中して取り組むべきなのに、「世界の警察官」のように対外関与する外交姿勢に、多くの国民は疑問を抱いているのです。

1989年にベルリンの壁が崩れ、2年後にソ連が崩壊しました。当時のアメリカは世界をリードし、東側の人々はアメリカの民主的システムのほうが優れていることを認めました。

しかし、その後の30年間で、アメリカの優れていた点が次々と失われていったことを私たちは認めなければなりません。

「力の空白」が生じる地域

そうは言うものの、アメリカはいまなお超大国です。ドルはいまだに基軸通貨の地位を譲りませんし、NATO（北大西洋条約機構）でも、Quadでも、アメリカはリーダーとしてのポジションを維持しています。金融システムにおいても、ワクチン外交においても、グローバルリーダーです。

最近、ドイツで興味深い世論調査結果が発表されました。ドイツ人は世界の中でどの国を信用できると思っているか、というものです。

下の順位から言いますと、中国7%、ロシア17%、イギリス46%、アメリカ56%という結果でした。トランプ政権当時の結果と比べると、バイデン大統領になってからアメリカが37ポイントも上昇しているのです。同盟国は、トランプ前大統領よりバイデン大統領を支持していると言えそうです。

アメリカの問題は、自国の政治システムが民主的に運営できていないことです。民主主義がきちんと機能するためには、自由で公正な選挙が行われなければなりませんが、２０２４年の大統領選挙が適正に行われるかどうか。トランプ氏の再出馬さえ取りざたされている状況ではわかりません。

　こうした内政課題にバイデン政権が軸足を移し、対外関与を減らしていくとなると、いままでアメリカが国際的に果たしてきた役割を、代わりに担えるだけの国はありません。すると、アメリカの国益的視点から見て、あまり重要ではない地域に「力の空白」が生じることになります。

　このような空白を、中国のみならずロシアも埋めようとしてくるリスクが、大いに懸念されます。

　幸いなことに米軍が撤退した後のアフガニスタンは、空白のままになっています。タリバンの統治能力はまったく最悪ですが、中国やロシアが進出するような事態にはなっていません。そのかわり、経済状況は悪化する一方で、ドラッグ取引は増加するでしょう。イスラム原理主義の色合いが強くなり、国情はさらに不安定化するでしょう。

まさに同じことが、エチオピア、リビア、シリア、ナゴルノ・カラバフ（アゼルバイジャン内のアルメニア系住民の居住地）、そしてハイチで起きています。「Gゼロ」の世界ではこうした「力の空白」が生じた地域で紛争が多発するのです。

計画的だったウクライナ侵攻

２０２２年２月24日にロシアがウクライナに軍事侵攻するまで、プーチン大統領は西側諸国に対して外交交渉による落とし所があるようなふりをしていましたが、実際はすでに軍事侵攻に向けた準備を着々と進めていたのです。

プーチン大統領は、２月21日、ロシアへの編入を求めるウクライナ東部の「ドネツク人民共和国」および「ルガンスク人民共和国」を国家として承認する大統領令に署名しましたが、これも軍事侵攻を進めるための布石でした。つまり、この軍事侵攻は初めから計画的であったということです。

トランプ前大統領は皮肉にもプーチン大統領の手法を「抜け目ない」と評し、プーチン大統領のことを「天才」とまで称賛しました。「天才は」言い過ぎだと思いますが、「抜け目ない」ことは間違いありません。

その点、バイデン大統領はロシアに振り回されて、最終的には失敗したということです。ロシアがウクライナ侵攻に向けて進めている作戦や戦略を先回りして公表することで、ロシアを抑止しようとしましたが、まったく通用しなかったということです。プーチン大統領の方が一枚上手であったのです。

プーチン大統領は、２００８年のジョージア侵攻、２０１４年のクリミア半島併合など、過去の軍事侵攻で利益を得たと認識しています。今回、ウクライナへの軍事侵攻を決断するまでに、次のようなステップを踏んで検討したはずです。

・外交交渉では、ロシアの安全保障上の目的は達成できないと判断した。
・もし西側諸国による経済制裁が最高レベルになったとしても、それに耐えられる準備ができたと判断した。プーチン大統領はこの数週間、かなりの資産を移動するように命じ、経済制裁によるダメージを最小限に抑えようとしていた。

・ウクライナを防衛するために西側諸国が直接軍事介入してくる可能性がゼロだと判断した。西側諸国が軍事介入してくると核戦争に拡大する恐れも否定できない。結局、ウクライナは単独での防衛を迫られる。

ロシアの偉大さを取り戻したい

2月23日付けのニューヨーク・タイムズ紙に、マデレーン・オルブライト元国務長官が「プーチンは歴史的間違いを犯している」と題するエッセイを寄稿しています。そこで彼女は、当時大統領代理だったプーチン氏と2000年に会ったときの印象をこう記しています。

「彼は自分の国に起きたこと（ソ連崩壊）について、恥ずかしい思いを持っており、自国の偉大さを取り戻そうと決意している」

プーチンはその恥辱に苦しんできたのです。そして今、その気持ちを抑えきれなくなり、ロシアの偉大さを回復するべく軍事侵攻したのです。

ようするに、プーチン大統領はアメリカが世界の覇権国であることに我慢できないのです。彼は、「我々は今新しい冷戦の真っ只中にいる」と思っています。そして、ヨーロッパの既存の安全保障秩序を、力ずくでも崩す必要があると考えています。さらに、「ロシア帝国の再構築」という野望さえ、持っているかもしれません。

国際協調復活のシナリオ

これまで見てきたように、パンデミックは各国の自国主義を予想以上に深めることになりました。これほど「Gゼロ」の不安定さを感じさせる時代はありませんでした。２００１年のアメリカ同時多発テロの直後には、同盟国はもちろんのこと、ロシアもアメリカに手を差し伸べました。２００８年にリーマン・ショックを引き金に世界金融危機が起きたときも、G20サミットで各国は対応策を真剣に協議しました。

いつになるか、正確な予測はできませんが、パンデミックはいつか必ず終息します。しかし、それで世界的な危機が消え去るわけではありません。

まず世界が最優先で取り組むべき課題は、気候変動問題でしょう。この問題解決のために、アメリカと中国という2大経済大国が協調して取り組めるかが、今後の国際社会のシナリオを決めます。

「Gゼロ」下においても、気候変動問題は多くの国と企業が喫緊の課題であることを認識しています。今後20年ほどで、エネルギーの大部分は、石油、ガス、石炭から再生可能エネルギーに置き換わるでしょう。

だからこそ、米中両国が協調できる可能性を残しているのです。日本をはじめとする同盟国が、それをいかに促していけるかがカギです。

アメリカは中国に資金を投入して、中国が石炭依存から一刻も早く抜け出せるように支援をすべきです。中国も一帯一路において石炭輸出をしないようにし、世界で行っているインフラ建設工事においても石炭を使用しないようにするべきです。

すでに述べたように、アメリカと中国は資源においても、サプライチェーンにおいても相互依存しています。脱炭素エネルギーを目指す中で、資源の奪い合いや、貿易戦争を続けることの虚しさを理解すべきです。

冷戦の復活はすべての国にとって戦略的失敗です。冷戦当時、アメリカとソ連の間に経済的相互関係はありませんでした。ところが、現在は日米の巨大企業は中国に頼っています。これらの企業は今後さらに中国への投資を拡大していくでしょう。

そうであればなおさら、日本こそが米中協調を促していく役割を担うべきなのではないでしょうか。

おわりに

本書は２０２０年７月に刊行した『コロナ後の世界』に続いて企画されました。前作では『銃・病原菌・鉄』（邦訳は草思社）などの世界的な名著で知られるジャレド・ダイアモンド氏や、ノーベル経済学賞受賞者のポール・クルーグマン氏らにインタビューしました。

今回も、ノーベル生理学・医学賞受賞者のポール・ナース博士をはじめとする世界を代表する知性たちに、このコロナ禍が私たち人類の文明にどのような影響を及ぼすのかを問いました。本書に収録したインタビューは２０２１年後半から２０２２年初頭にかけて行いました。すべてリモートでの取材でしたので、本書に掲載した写真は取材当時のものではありません。過去の取材時に筆者が撮影したものと、インタビュイーから提供していただいたものを使っています。

いまから振り返ると、２０００年代を迎えるにあたって私たちは「ミレニアム」と口にして、新しい時代の訪れを寿《ことほ》ぎました。インターネットの普及によって、海の向こうの相手とリアルタイムで会議をすることが可能になるどころか、バーチャル空間であれば絶世の美男美女（性別はもはや意味をなしませんが）とデートすることさえ可能になったのです。

世界はつながり、どんどん快適になっていく――。

グローバリゼーションの熱に浮かされた私たちの危うい万能感に、背後から一撃を与えたのが新型コロナウイルスだったのではないでしょうか。

世界がつながるというメリットがデメリットに一転し、ウイルスは過去とくらべようもなく急速に世界中に拡大していきました。アントニヌスの疫病、黒死病、スペイン風邪……。パンデミックの歴史をかえりみても、これほどの短時間で全世界に疫病が蔓延したことはありません。

パンデミックは世の中の〝負〟の部分を拡大させました。経済的格差、社会規範の違い、構造的な差別。自分自身が危機に瀕したとき、人は心のゆとりを失います。そうした事象をリチャード・フロリダ氏は「コロナクレイジー」という言葉を紹介して説明しています。そんな中でも人々が最も幸せを感じるのは、経済的な豊かさよりも、「温かい人間関係」があることだとリンダ・グラットン氏は説きます。

　コロナ禍によって世界は分断されました。富める国、貧しい国、ワクチンが打てる国、打てない国と。

　それでも、なお世界はつながっています。地球の裏側で、今日何人がCOVID-19に感染したか、私たちは知ることができます。同じ困難に私たちは一緒に向き合うことができるのです。これは歴史を振り返ってみてもなかったことです。このコロナ禍は、それを私たちに証明してくれました。

　これから私たちは、気候変動などの地球史に関わるような課題にも立ち向かわざるを得ません。それでも、私たちにはまだ未来が拓《ひら》けている。それに向かう道標が、7人の賢者たちの言葉の中に見つかるはずです。

2022年3月　大野和基

著者紹介

ユヴァル・ノア・ハラリ（Yuval Noah Harari）

歴史学者。イスラエル、ヘブライ大学教授。1976年生まれ。オックスフォード大学で中世史、軍事史を専攻して2002年に博士号を取得。現在、大学で歴史学を教えるかたわら、2018年のダボス会議での基調講演など、世界中の聴衆に向けて講義や講演も行う。

カタリン・カリコ（Katalin Karikó）

独の医療ベンチャー、ビオンテック社の上級副社長。1955年生まれ。ハンガリー出身。1985年に渡米し、テンプル大学などを経て、ペンシルバニア大学で研究生活。40年以上にわたってRNAを研究しつづけ、新型コロナウイルス感染症のワクチン開発において多大な貢献をした。

ポール・ナース（Paul Nurse）

遺伝学者、細胞生物学者。英フランシス・クリック研究所所長。1949年生まれ。細胞周期研究での業績が評価されて2001年にノーベル生理学・医学賞を受賞。オックスフォード大学教授、王立がん研究所所長、米ロックフェラー大学学長、王立協会会長などを歴任。2010年より現職。

リンダ・グラットン（Lynda Gratton）

ロンドン・ビジネススクール教授。1955年生まれ。人材論、組織論の世界的権威。2019年、経営思想家ランキング「Thinkers50」で13位に選出。英エコノミスト誌が選ぶ「仕事の未来を予測する識者トップ200人」の一人。仕事の未来を考える「働き方の未来コンソーシアム」を率いる。

リチャード・フロリダ（Richard Florida）

都市経済学者。カナダ、トロント大学ロットマン・スクール・オブ・マネジメント教授。1957年生まれ。新しい地域発展モデルとして、創造性を持った人材「クリエイティブ・クラス」について着目し、彼らが経済の主要な担い手になると予測、その実証的研究と体系化を行っている。

スコット・ギャロウェイ（Scott Galloway）

ニューヨーク大学スターン経営大学院教授。1964年生まれ。MBAコースでブランド戦略とデジタルマーケティングを教える。シリアル・アントレプレナー（連続起業家）として9つの企業を立ち上げた。2012年には「世界最高のビジネススクール教授50人」に選ばれた。

イアン・ブレマー（Ian Bremmer）

国際政治学者。1969年生まれ。コロンビア大学、ローレンス・リバモア国立研究所などを経て、ニューヨーク大学で教鞭をとる。1998年、調査コンサルティング会社「ユーラシア・グループ」をニューヨークに設立。毎年発表される「世界の10大リスク」でも定評がある。

大野和基（おおの　かずもと）
1955年、兵庫県生まれ。東京外国語大学英米語学科卒業。1979～1997年在米。コーネル大学で化学、ニューヨーク医科大学で基礎医学を学ぶ。その後、現地ジャーナリストとして活動を開始。国際情勢から医療問題、経済まで幅広い分野を取材、執筆。帰国後もアメリカと日本を行き来して活動。編著書に『オードリー・タンが語るデジタル民主主義』（NHK出版新書）、『近代の終わり』、『人類が進化する未来』（ともにPHP新書）など。

文春新書

1342

コロナ後《ご》の未来《みらい》

2022年3月20日　第1刷発行

編　者　　大野和基
発行者　　大松芳男
発行所　株式会社　文藝春秋
〒102-8008　東京都千代田区紀尾井町3-23
電話（03）3265-1211（代表）

印刷所　　理想社
付物印刷　大日本印刷
製本所　　大口製本

定価はカバーに表示してあります。
万一、落丁・乱丁の場合は小社製作部宛お送り下さい。
送料小社負担でお取替え致します。

ISBN978-4-16-661342-7

◆経済と企業

金融工学、こんなに面白い　野口悠紀雄
リープフロッグ　野口悠紀雄
臆病者のための株入門　橘　玲
臆病者のための億万長者入門　橘　玲
熱湯経営　樋口武男
先の先を読め　樋口武男
就活って何だ　森　健
資産フライト　山田　順
ビジネスパーソンのための契約の教科書　福井健策
ビジネスパーソンのための企業法務の教科書　西村あさひ法律事務所編
ブラック企業　今野晴貴
ブラック企業2　今野晴貴
税金　常識のウソ　神野直彦
売る力　鈴木敏文
日本型モノづくりの敗北　湯之上隆
詐欺の帝王　溝口　敦
さらば！　サラリーマン　溝口　敦
トヨタ生産方式の逆襲　鈴村尚久
グローバリズムが世界を滅ぼす　エマニュエル・トッド　ハジュン・チャン　柴山桂太・中野剛志・藤井聡・堀茂樹
税金を払わない巨大企業　富岡幸雄
消費税が国を滅ぼす　富岡幸雄
あなたの隣のモンスター社員　石川弘子
新自由主義の自滅　菊池英博
安売り王一代　安田隆夫
働く女子の運命　濱口桂一郎
人工知能と経済の未来　井上智洋
「公益」資本主義　原　丈人
お祈りメール来た、日本死ね　海老原嗣生
２０４０年全ビジネスモデル消滅　牧野知弘
生き返るマンション、死ぬマンション　荻原博子
最強の相続　荻原博子
ルポ　税金地獄　朝日新聞経済部
日本株式会社の顧問弁護士　児玉　博
自動車会社が消える日　井上久男
日産vs.ゴーン　井上久男
新貿易立国論　大泉啓一郎
世界史を変えた詐欺師たち　東谷　暁
日銀バブルが日本を蝕む　藤田知也
AIが変えるお金の未来　坂井隆之・宮川裕章＋毎日新聞フィンテック取材班
なぜ日本の会社は生産性が低いのか？　熊野英生
会社員が消える　大内伸哉
キャッシュレス国家　西村友作
農業新時代　川内イオ
総会屋とバブル　尾島正洋
吉本興業の約束　大﨑　洋　坪田信貴

◆世界の国と歴史

ローマ人への20の質問　塩野七生
歴史とはなにか　岡田英弘
常識の世界地図　21世紀研究会編
食の世界地図　21世紀研究会編
新・民族の世界地図　21世紀研究会編
カラー新版 地名の世界地図　21世紀研究会編
フランス7つの謎　小田中直樹
一杯の紅茶の世界史　磯淵 猛
新約聖書Ⅰ　新共同訳 佐藤 優解説
新約聖書Ⅱ　新共同訳 佐藤 優解説
佐藤優の集中講義 民族問題　佐藤 優
池上彰の宗教がわかれば世界が見える　池上 彰
池上彰の「ニュース、そこからですか!?」　池上 彰
新・戦争論　池上 彰 佐藤 優
大世界史　池上 彰 佐藤 優
新・リーダー論　池上 彰 佐藤 優

第一次世界大戦はなぜ始まったのか　別宮暖朗
イスラーム国の衝撃　池内 恵
「ドイツ帝国」が世界を破滅させる　エマニュエル・トッド 堀 茂樹訳
シャルリとは誰か?　エマニュエル・トッド 堀 茂樹訳
問題は英国ではない、EUなのだ　エマニュエル・トッド 堀 茂樹訳
中国4・0　エドワード・ルトワック 奥山真司訳
戦争にチャンスを与えよ　エドワード・ルトワック 奥山真司訳
日本4・0　エドワード・ルトワック 奥山真司訳
21世紀 地政学入門　船橋洋一
地経学とは何か　船橋洋一
熱狂する「神の国」アメリカ　松本佐保
ドナルド・トランプ　佐藤伸行
大学入試問題で読み解く「超」世界史・日本史　片山杜秀
ベートーヴェンを聴けば世界史がわかる　片山杜秀
戦争を始めるのは誰か　渡辺惣樹
第二次世界大戦 アメリカの敗北　渡辺惣樹
米中激突　陳 破空 山田智美訳
知立国家 イスラエル　米山伸郎

1918年最強ドイツ軍はなぜ敗れたのか　飯倉 章
人に話したくなる世界史　玉木俊明
トランプ ロシアゲートの虚実　小川 聡 東 秀敏
世界史の新常識　文藝春秋編
ヘンリー王子とメーガン妃　亀甲博行
コロナ後の世界　ジャレド・ダイアモンド ポール・クルーグマン リンダ・グラットン マックス・テグマーク スティーブン・ピンカー スコット・ギャロウェイ 大野和基編
パンデミックの文明論　ヤマザキマリ 中野信子
盗まれたエジプト文明　篠田航一
歴史を活かす力　出口治明

◆政治の世界

民主主義とは何なのか　長谷川三千子
拒否できない日本　関岡英之
司馬遼太郎 リーダーの条件　半藤一利・磯田道史 鴨下信一他
自滅するアメリカ帝国　伊藤　貫
新しい国へ　安倍晋三
憲法改正の論点　西　修
ニッポンの大問題　池上　彰
日本に絶望している人のための政治入門　三浦瑠麗
あなたに伝えたい政治の話　三浦瑠麗
政治を選ぶ力　橋下　徹 三浦瑠麗
国のために死ねるか　伊藤祐靖
オバマへの手紙　三山秀昭
安倍晋三「保守」の正体　菊池正史
田中角栄 最後のインタビュー　佐藤　修
安全保障は感情で動く　潮　匡人
日米同盟のリアリズム　小川和久
軍人が政治家になってはいけない本当の理由　廣中雅之
小泉進次郎と福田達夫　田﨑史郎
日本よ、完全自立を　石原慎太郎
内閣調査室秘録　岸　俊光編 志垣民郎
軍事と政治 日本の選択　細谷雄一編
兵器を買わされる日本　東京新聞社会部
地方議員は必要か　NHKスペシャル取材班
知事の真贋　片山善博
政治家の覚悟　菅　義偉

◆アジアの国と歴史

「南京事件」の探究　北村　稔
韓国併合への道 完全版　呉　善花
侮日論　呉　善花
韓国「反日」の真相　澤田克己
「暗黒・中国」からの脱出　顔　伯鈞 安田峰俊編訳
ルポ 絶望の韓国　牧野愛博
韓国を支配する「空気」の研究　牧野愛博
「中国」という神話　楊　海英
独裁の中国現代史　楊　海英
劉備と諸葛亮　柿沼陽平
王室と不敬罪　岩佐淳士
キャッシュレス国家　西村友作
性と欲望の中国　安田峰俊
日本の海が盗まれる　山田吉彦
インドが変える世界地図　広瀬公巳
反日種族主義と日本人　久保田るり子

◆さまざまな人生

- 生きる悪知恵　西原理恵子
- 家族の悪知恵　西原理恵子
- 男性論　ECCE HOMO　ヤマザキマリ
- 迷わない。　櫻井よしこ
- それでもこの世は悪くなかった　佐藤愛子
- 僕たちが何者でもなかった頃の話をしよう　山中伸弥・羽生善治・是枝裕和・山極壽一・永田和宏
- 続・僕たちが何者でもなかった頃の話をしよう　池田理代子・平田オリザ・彬子女王・大隅良典・永田和宏
- 安楽死で死なせて下さい　橋田壽賀子
- 変節と愛国　浅海　保
- 一切なりゆき　樹木希林
- 天邪鬼のすすめ　下重暁子
- さらば！　サラリーマン　溝口　敦
- 私の大往生　週刊文春編
- 昭和とわたし　澤地久枝
- それでも、逃げない　三浦瑠麗・乙武洋匡
- 知の旅は終わらない　立花　隆

- 死ねない時代の哲学　村上陽一郎
- イライラしたら豆を買いなさい　林家木久扇
- 老いと学びの極意　武田鉄矢
